T5-AFD-231

Secrets of the Baby Whisperer

# 超級嬰兒通

## 天才保母崔西的育兒祕訣

崔西．霍格、梅琳達．貝樂　著
郭盈卿　譯

# 媒體好評推薦

◆甫上市就打敗全美最暢銷小說家約翰・葛里遜新書的搶手育兒寶典！

（紐約日報）

◆在電視節目中，崔西展現她的驚人天賦—光是經由電話聽聽寶寶的哭聲，就知道他想表達什麼，馬上指導在電話另一端的媽媽該怎做。

（新聞週刊）

◆美國國家廣播公司與福斯電視播出崔西的專訪後，本書馬上躍升亞馬遜網路書店暢銷排行榜第一名！

（出版人週刊）

◆洛杉磯地區許多精英名流都是崔西的客户，包括茱蒂佛斯特、潔美李寇蒂斯、廿世紀福斯電視總裁黛娜華頓等知名人士。……她的第一本書讓她成為著名暢銷作家，名聲足以媲美資深育兒專家史巴克博士。

（新聞週刊）

◆在懷孕期間閱讀的無數育兒書中，只有崔西的書真正提供去愛、尊重與養育一名快樂嬰兒的方法。閱讀這本書消除我對母職的焦慮感，也幫助我建立自信。我想跟所有父母分享這本書。

（廿世紀福斯電視總裁　黛娜華頓）

這本書裡所提供的資訊及忠告都經醫師審閱過。

但是不代表它可以去取代你私人醫生或是其他經過訓練的健康管理專家的建議。

在考慮任何需要醫療照料或診斷的課題時，建議去諮詢健康管理專家。

在實施或同意任何療程前，先讓醫生檢查過。

Secrets of the Baby Whisperer

# 超級嬰兒通

## 目錄 CONTENTS

# 序

我最常被將爲人父母者所問的問題之一就是「你會建議哪些書當作指南」，我的兩難就在於沒有一本書是以醫學爲基礎，又有許多實務的解說，可以給一些嬰兒行爲及發展的個人建議。現在，我的兩難解決了。

《超級嬰兒通：天才保母崔西的育兒祕訣》這本書，崔西給了許多初爲人父母（甚至是有經驗的父母）一個很棒的大禮——可以早點發展對自己嬰兒性情的洞察力，小嬰兒溝通及行爲模式的架構及詮釋，還有解決許多像是過度哭泣、頻繁餵食、無法好好睡覺的典型嬰兒問題，一系列非常實用又奏效的方法。你不得不佩服崔西的善意幽默——這本書讓人感到舒服、像是在閒話家常、充滿幽默、而且非常的實用、睿智。讀來輕鬆愉快——甚至對最難帶的嬰兒，都有許多有用的內容可供應用。

對許多新手父母而言，來自善意的家庭成員、朋友、書籍、媒體的資訊過度負荷，引發了困惑、焦慮，甚至是在寶寶誕生之前。現今的刊物在處理典型的新生兒問題時，常常太過武斷，更糟的是，所抱持的哲學觀太過散漫。要阻擊這些極端，新手父母常常發展出「意外教導」的作風，的確是滿懷善意，卻可能造成寶寶更多的問題。在這本書裡，崔西強調有條理的規律的重要性，協助父母進入一個可預期的情境裡。

她建議實施「E.A.S.Y.」的循環，也就是吃飯、活動、然後才睡覺、就可以拆卸睡覺前要吃飯的期望，這樣父母就可以有自己的時間。也因爲如此，寶寶可以學會自我慰藉、不需要依賴媽媽的胸部或是奶瓶。新手父母仔細觀察吃飽後寶寶的哭泣和行爲，將能夠更眞實的去詮釋一切。

在新手父母的熱誠下，要同時處理、整合「嬰兒世界」裡的多重養育任務時，崔西鼓勵你要「S.L.O.W.」放慢速度。她提供給所有家庭成員一些很實用的建議，協助大家從產後恢復走過來，如何爲問題做好心理準備，簡化在這最疲累時期的一切事情，以及如何去捕捉最難以捉摸、卻是最重要的暗示——寶寶想要溝通的慾望。崔西教導照料者觀察寶寶的肢體語言、對世界做出回應，應用這些知識去幫忙詮釋寶寶的基本需求。

對那些在寶寶嬰兒期才拿到本書的父母，實用的建議仍然可以解決現行的難處——留心注意的話，那些舊習一樣可以被糾正。崔西會耐心的陪你走過這一段時期，逐漸灌輸你養育的信心（還有睡覺及其他困擾），一切都能回到常軌上。對所有父母而言，這本書將會是愛不釋手參考書，這是我們一直以來所期待的。好好欣賞吧！

珍娜特・麗薇絲丁
（本文作者爲美國小兒科學會醫學博士、
洛杉磯西德斯西奈醫療中心及洛城兒童醫院的主治醫生）

# 前言 成爲兒語專家

讓孩子變好的最好方式就是讓孩子覺得快樂。

——王爾德（Oscar Wilde）

## 學習嬰兒的語言

親愛的朋友們，我並不自詡爲兒語專家，雖然有客戶是這樣想的，不過這倒比有些熱情的父母所給的稱號來的好一點——例如女巫，聽起來有點詭異；或是巫師，好像又太神祕了；甚至直接稱之爲「the Hogg」，我的姓氏竟然成爲特定名詞。就這樣我變成兒語專家。我不得不承認其實滿喜歡這個綽號的，因爲這的確描述我的工作內容。

也許你早就聽過馬語專家（horse whisperer），或者可能看過同名小說或是同名電影（台灣譯名爲《輕聲細語》）。如果你曾經看過，應該還記得勞勃瑞福是如何去對待那匹瞎眼的馬，非常耐心地、慢慢一步步接近牠，他聆聽、觀察，小心翼翼地保持適當的距離，對於那可憐馬兒的問題，用一種尊重的態度去衡量、思考，他花了許久的時間，才接近馬兒，凝視牠的雙眼，用溫柔的語氣和牠說話，全部的時間，馬語專家像石像一樣佇立，保持他的平靜、沈著，藉此鼓勵馬兒冷靜下來。

千萬別會錯意，我並不是把新生嬰兒比喻爲馬（雖然兩者都很敏感），但是那樣的情況，其實跟我與嬰兒之間是很類似的。儘管有些父母認爲我天賦異稟，其實我所做的，眞的毫無神祕可言，也不是某些特定的人才擁有這樣的力量。兒語專家只是懷著一顆尊重的心，去聆聽、觀察，然後將嬰兒所要表達的意思翻譯出來。你不可能一夜之間就學會，我觀察、對談過五千個以上的嬰兒才了解。但是每一對父母絕對都學的會，也應該要學。我了解嬰兒的語言，也可以教導你這項必須精通的技術。

## 我如何習得這項技能

我花了一生的時間來準備從事這個工作。我在英國約克郡長大（Yorkshire），對我影響最大的是外婆小南，她現在已經八十六歲了，依然是我所見過最有耐心、溫柔、可愛的女人，她也是個兒語專家，能夠摟抱暴躁不安的嬰兒，讓他沈靜下來。當我生命中的兩個大影響——兩個女兒出生時，她不僅指導我、讓我感到放心，在我童年時，也扮演了很重要的角色。

在成長過程中，我是個好動兒，非常的頑皮，一點耐性也沒有，但是小南就是有辦法透過遊戲或故事來駕馭我無窮的精力。舉例來說，當我們在電影院大排長龍時，就像一般的小孩，我總會嘀嘀咕咕，扯著她的衣袖問道：「小南，到底還要多久他們才肯讓我們進去？我沒辦法再等了。」

如果是我已經過世的奶奶葛萊妮，會因爲這樣無禮的行爲而給我一頓好打。葛萊妮是個道地維多利亞時代的人，她認爲小孩應該乖乖的，不能吵鬧，在她那個時代，她被嚴格管教。但是外婆小南則一點也不嚴厲，對於我的牢騷，她會閃亮著雙眼對我說：「因爲你只注意到自己，光在那兒抱怨，結果卻錯失一些有趣的事。」接著就瞄著某個方向說道：「看到那母親跟寶寶沒有？」她用下巴指著方向，又問道：「你想他們今天要去哪兒呢？」我馬上回應：「他們要去法國。」「那你想他們要怎麼去呢？」「坐波音七四七飛機去。」我大概是在哪聽過這個詞吧。「坐在哪個位置呢？」小南會繼續問問題，這個小遊戲不僅消磨等待的枯燥，我們也針對那名女子編織了一個故事。小南總是不斷激發我的創造力。她會瀏覽櫥窗裡的新娘禮服，然後問我：「你猜多少人才能完成那件禮服？」如果我回答：「兩個。」她會繼續問更細節的東西：「他們怎麼把禮服送到這家店呢？禮服是在哪裡製作的？是誰把珍珠縫上去的？」同時，她會帶領我一起想像整個經過，就好像我眞的身處印度，看著那些農夫從播種開始，一直到種子變成棉花，成爲禮服的材料。

事實上，說故事是我家很重要的一個傳統，不只是對小南、她妹妹、她媽媽、還有我媽媽而言都是。她們想說一些重點時，就會有個故事伴隨而來。她們把這個天賦也遺傳給我，現在我跟那些父母溝通時，通常都會透過故事和隱喻。當他們無法讓受到喇叭聲音刺激的寶寶乖乖入睡而感到束手無策時，我會反問他們說：「如果我把你的床放置在高速公路上，你可以入睡嗎？」這樣的影像讓父母了解，爲什麼我會給一個特定的建議，而不只是告訴他們應該要怎樣做才對。

如果說家族的女性幫我發展這項天賦，發現我可以好好發揮這項天賦的是我的外公。外公曾經是瘋人院的護士長，我記得有一年聖誕節，他帶著我和媽媽去參觀那些孩童病房，那是個昏暗骯髒的地方，有古怪的聲音和味道，年幼的我，看到長相怪異的小孩坐在輪椅上，有些則躺在枕頭上，棉花散亂了一地，我看見媽媽流下眼淚，滿懷震驚和憐憫，那時我雖然還不滿七歲，這個記憶卻非常鮮明。

大多數的人，對那些病人敬而遠之，也不再涉足這個地方，相反的，我卻像著了迷一般，一再要求外公再帶我去，在拜訪好幾次之後，有一天，外公把我帶到一旁，對我說：「崔西，你應該好好考慮從事這種護理工作，你有顆非常仁慈寬大的心，而且很有耐心，就像你外婆小南一樣。」

這是我聽過對我最好的讚美，結果證明外公的建議是對的。當我十八歲時，去讀護理學校，在英格蘭，這是五年半的課程。我承認我並不是第一名畢業的，我也是個臨時抱佛腳的學生，但是在病人調停這方面，我的表現卻很突出，在英國我們稱之爲實習，這是護理工作非常重要的一環。由於我非常擅長聆聽、觀察與顯露感情，護理學校的董事會還頒給我年度護理獎，這是一年一度頒發給在照顧病人方面表現傑出的學生。

我在英國成爲有執照的護理人員以及助產士，專精於照料心理或生理有障礙的孩童——就是不太能跟別人溝通的孩童，也不能完全這樣說，就像嬰兒一樣，他們有自己溝通的方式——非語言的方式，透過哭泣以及肢體語言表達。爲了幫助他們，我必須去了解他們的語言，成爲他們的翻譯者。

## 哭泣與低語

經由照顧許多我接生的嬰兒，我漸漸發現可以理解他們的非語言。所以當我來到美國，我就專門照料嬰兒，從事新生兒還有產後照料，你大概馬上就會聯想到保母。我替紐約、洛杉磯地區的父母工作，我告訴他們也可以對寶寶低語：試著放下身段，去了解小寶寶所要表達的意思，一旦發現問題所在，就去安撫他們，讓他們平靜下來。

我和這些父母分享我相信所有父母都應該爲寶寶做的：培養他們建立自己的意識，成爲一個獨立的小個體。我也進一步提倡全家總動員的態度——這些小人兒也是家庭的一部分，而不是僅是環繞在四周的東西而已；如果家庭所有成員都很快樂的話，嬰兒同樣也會感到滿足。

當我被邀請到別人家裡，我會覺得非常幸運，因爲這是父母生活中很珍貴的一段時光：充滿無法預期的不穩定、無法安眠的夜晚，同時也是生活中體驗到最多歡樂的日子。當我看到他們呈現的生活劇本，對外界求援時，我覺得我帶給他們喜悅，因爲我幫助他們走出混亂，重新品味他們的經驗。

現在，我偶爾會跟某些家庭同住，不過大部分時間還是只扮演諮詢的角色，在嬰兒回家的頭幾天或頭幾週，到家裡去停留個一、兩個小時。我遇過許多大約卅至四十歲的父母，他們以前都將生活掌握得很好，可是爲人父母後，由於成爲毫無經驗的初學者，他們感到不快樂，有時候他們不禁懷疑到底自己做了什麼，不管是在銀行裡有存款一百萬或是錢包裡只有一百塊的父母，當碰到新生兒，特別是第一個小孩，情況都一樣。我接觸過各式各樣的父母，有些人家喻戶曉，有些則只有鄰居認識他們，我可以向大家保證，就算是這些人當中的佼佼者，有了小孩仍然讓他們暴露恐懼。

事實上，大部分時間我的傳呼器會響個不停，甚至是在三更半夜的時候，有些情急、絕望的訊息，像是下面這些：

「崔西，爲什麼克里西斯永遠都肚子餓？」

「崔西，爲什麼傑森前一分鐘還對我笑，下一分鐘卻馬上嚎啕大哭？」

「崔西，我不知道該怎麼辦才好。喬伊整晚醒著，不停地哭。」

「崔西，我覺得雷克和寶寶玩得太起勁了，你能不能叫他停止？」

信不信由你，廿幾年來的經驗，讓我可以透過電話就對症下藥，特別是我見過這個寶寶的話。有時候，我會要求媽媽把寶寶抱到電話旁邊，讓我聽聽她（※）的哭泣聲。或是盡快到訪，如果必要的話，也會待一整晚觀察發生什麼事，到底家裡哪些因素讓寶寶心煩意亂，或是打亂他的生活作息。到目前爲止，我還沒遇過我無法溝通的嬰兒，或是無法讓情況有所改善。

※在這本書裡，當我提到嬰兒，會輪流以他或她來表示，以表示對兩性的尊重。

## 尊重：融入嬰兒世界的鑰匙

我的客戶常說：「崔西，你總是讓事情變的如此簡單。」對我而言，的確是很容易，因爲我可以跟嬰兒聯繫。我對待他們就如同看待其他人：用尊敬的心。親愛的朋友們，這便是我身爲兒語專家的精髓所在。每個嬰兒都是獨立的個體，有自己的語言、感覺和獨一無二的性格——所以，絕對值得該有的尊重。

尊重是這本書的主題思想，你會不斷看到這個概念。如果你記得把寶寶視爲獨立的個體，你就會給她該有的尊重。字典對尊重的動詞定義爲：「避免去侵犯或干擾對方。」如果有人把頭抬得老高而不是平視和你說話，或是沒得到你的允許就隨便碰觸你，你覺得被侵犯了嗎？當事情沒有合理的解釋，或是對待你沒有基本的尊重，你有多生氣或是感覺多難過？

對嬰兒來說也是一樣。人們總習慣在嬰兒頭部上方講話，有時候甚至就像那嬰兒不存在一樣。我常聽到父母或是保母說「這寶寶做了這個」或是「這寶寶做了那個」。那是很沒人情味又不夠尊重的，就像在談論一個沒有生命的主題。更糟的是，他們不發一語，就對他們親愛的小寶貝拉拉扯扯，好像擾亂嬰兒的空間是大人的權利一樣。這就是爲什麼我會建議在嬰兒的周圍畫一道無形的界線——一個尊重的圈圈，你不能不經過同意或是沒有任何交代就超越這個範圍。

就算是在產房，我也會直接叫嬰兒的名字，我不把躺在嬰兒床裡的小生命只當作嬰兒來看待，而是一個獨立的生命體，所以爲什麼不直接以她的名字來稱呼呢？當你會如此做，你就會把她當成是一個小人兒，而不是一個無助的嬰兒。

更確切地說，不管我在何時和新生兒初次碰面，不論是醫院、他到家後的幾個小時或是幾週，我都會向他作自我介紹，跟他解釋爲什麼我會在這裡。我會直視他的眼睛對他說：「哈囉！山米。我是崔西，我知道你還不認得我的聲音，因爲你還不認識我。我來是想要了解你，看看你有什麼需要。我會協助你爸媽聽懂你所說的話。」

有時有些媽媽會問我：「你幹麼用那種方式和他說話？他才剛出生三天，不可能了解你在說些什麼。」我說：「親愛的，我們並不能確定這件事，不是嗎？想想看，如果他眞的聽得懂我的話，而我竟然沒說，那會有多嚴重。」特別在過去十年來，科學家發現，嬰兒理解的比我們想像的還來的多。研究發現，嬰兒對聲音還有味道都很敏感，而且可以分辨出眼前所見的不同。在剛出生的那幾週，記憶就已經開始發展。所以，就算小山米並不完全懂我所說的，他依然可以分辨出，有些人會放慢速度，用一種鼓勵的語氣，有些人卻像一陣風似的過來然後就把他抱走。而且假使他眞的懂的話，他會知道從一開始我就很尊重他。

## 低語不僅只是說話

想聽懂嬰兒語言，意味著你得記得寶寶隨時隨地都在傾聽，而且在某個程度聽得懂你所說的話。現在每本育兒書都告訴父母：「對你的寶寶說話。」這還不夠，我告訴父母：「和你的寶寶對話。」

你的寶寶也許並不眞的回話，但是他透過輕柔的低語聲以及哭泣來試著溝通，也會用一些肢體動作來表達（如何解讀嬰兒語言在第三章有更詳細的說明）。所以，你的確是在與人對話，是雙向的溝通。

和寶寶對話也是表示尊重的一種方式。難道你不跟自己在乎的成人對談嗎？當你初次接近他時，你會自我介紹並說明你在那裡做什麼。你會非常有禮，在對話時常使用「請」、「謝謝」、「這樣可以嗎」，也可能不斷地說話和解釋。爲什麼不這樣來對待你的寶寶呢？

了解寶寶的喜好也是一種尊重。你會在第一章學習到這些，有些嬰兒很容易就跟上團體的步伐，有些則比較敏感、固執，有些發展速度比較慢一點。眞正的尊重是，我們必須接受寶寶原本的樣子，而不是一再與一般基準做比較。這就是爲什麼在這本書裡，你不會讀到幾個月大的嬰兒應該要做什麼的敘述。寶寶有權用自己獨特的方式來回應周遭環境。越早和小寶貝展開對話，你就能越快了解他、還有他需要你的地方。

我確定每對父母都希望鼓勵自己的小孩變成獨立、和諧的個體，成爲人們尊重與讚賞的人。這是從嬰兒時期就開始發展的，不是等到他五歲或是十五歲大才開始教導他。要知道，對子女的養育是一輩子的，父母是子女學習的榜樣。透過傾聽，給予寶寶該有的尊重，她長大也會傾聽、尊重別人。

如果你花時間觀察寶寶，試著了解她嘗試表達的意思，你就會有一個心滿意足的寶寶，和一個不會被憂傷、痛苦的寶寶所支配的家庭。

父母如果能盡全力去了解、照料嬰兒的需要，嬰兒將會無憂無慮。當他們被放下時不會哭泣，因爲他們覺得安全無虞，他們非常信賴身處的環境。這些嬰兒需要的注意力較少，會更快學會自己玩樂，反而那些被放任哭泣，或是老是被父母解讀錯誤的嬰兒，需要更多的關心，學習的速度比較慢。順帶一提的是，偶爾解讀錯誤絕對是正常的。

## 為人父母所需要的是——自信

讓父母清楚知道自己在做什麼會讓他們感到安心。可惜的是，現代生活的步調並不利於這些父母，他們總是被忙亂的行程表所打擾。他們不明白要安撫寶寶之前自己也得將腳步放慢。我工作的一部分，就是讓父母放慢腳步，調整成和寶寶一樣的步調，而且一樣重要的——傾聽自己內在的聲音。

遺憾的是，時下許多父母都是資訊過載的受害者。當她們懷孕時，會去閱讀報章雜誌、書籍，做研究，搜尋網路，聽取朋友、家人與各式各樣專家的建議。這些全都是很有價值的資訊，但是當嬰兒誕生時，這些新手父母反而覺得混亂、困惑，不像一開始那樣按部就班。更糟的是，周遭親朋好友的建議，更讓他們忽略了自己原有的基本常識。

假定資訊是可以被授權的——經由這本書，我嘗試去分享我這個職業的所有竅門。但是除了我所提供的訣竅外，你養育子女的自信心，才是讓你發揮得淋漓盡致的祕訣。要去發展它，你得了解所面臨的課題。每個嬰兒都是獨一無二的個體，每個父母也是一樣，所以每個家庭的需要也就迥然不同。所以如果我告訴你我是怎麼對待我女兒的，對你有什麼幫助呢？

當你越清楚你能了解並迎合寶寶的需要，你就會變的越熟練。而且我敢保證，一切會變得越來越容易。我每天花時間教導父母如何去察覺、去溝通，我不僅看到嬰兒的理解力及能力不斷增長，也看到這些父母越來越精通此道、越來越有自信。

## 你可以從書裡學到的

嬰兒的語言是可以學習的。事實上，許多父母都很訝異，當他們知道該看什麼、聽什麼時，很快就了解他們的嬰兒。我所展現的「神奇魔力」就是一再向新手父母保證，讓他們安心。所有的新手父母都需要支持，這也就是我搶手的原因。在適應期大家通常沒準備好，似乎有著無數的問題，卻沒有人可以在身邊給一些支援。我將他們關注的課題作了分類，告訴他們：「讓我們按部就班的來吧。」我向他們說明如何去執行有條理的規律，也告訴他們我所知道的一切。

## 如何成為好父母

我曾經翻閱一本育嬰書裡提到：「為了要成為一個好母親，你必須餵母乳。」這簡直是廢話，太無聊了！養育小孩不應該這樣被斷定：如何餵食、如何幫小孩換尿片、如何讓你的嬰兒入睡。除此之外，在嬰兒剛誕生的幾週，我們也不會馬上成為稱職的父母。稱職的父母需要好幾年的養成，當你的小孩長大，你了解他們是獨立的個體，等大一點他們會尋求你的建議與支持。然而，成為最佳父母的基礎開始於當你

◎尊重寶寶

◎了解寶寶是個獨一無二的個體

◎和他對話，而不是對他說話

◎去傾聽，當被要求時，迎合寶寶的需要

◎經由一個可靠、有條理、可預期的環境，讓寶寶知道接下來將發生什麼事

日子一天天過去，養育子女是艱辛、有時讓人驚慌、不斷付出卻通常沒有回報的工作。我希望這本書能幫助你培養幽默感，同時，也讓你清楚勾勒出正在經歷的事情。下列是你可以從書本得到的：

◎了解你的寶寶屬於那種類型，從她的性格你可以預期些什麼。在第一章，會列出事項幫助你了解將碰到的挑戰。

◎了解自己的性格和能力。當嬰兒誕生，生活將有所改變，知道你所處的情境是很重要的，才能衍生接下來的計畫（第二章）——你是憑直覺行事的人，還是總是喜歡將事情規劃得非常詳盡。

◎提供我的E.A.S.Y.計畫，可以幫助你按照這個順序組織例行生活：吃飯（Eat）、活動（Activity）、睡覺（Sleep）、你自己的時間（Your time）。E.A.S.Y.讓你照料寶寶的需要，不管是小憩一下、洗個熱水澡、或是到街上去遛達一圈，也讓你心靈和身體都變的更年輕。在第二章有E.A.S.Y.的概要，從第四章到第七章，將對每一個字母所代表的意義，做更詳盡的探討——第四章是說明吃飯，第五章是活動，第六章是睡覺的議題，第七章則是你可以去從事、讓身體和情緒都保持健康和強壯的方法。

◎技巧可以幫助你對寶寶低語——觀察、了解她要告訴你的，心煩意亂的時候讓她平靜下來（第三章）。我將幫助你磨練原有的觀察力，以及自我反省的能力。

◎伴隨著不尋常的胚胎及分娩，會有一些特別的狀況，產生養育上的問題：領養、代理孕母、早產兒、雙胞胎或多胞胎的歡樂與挑戰。

◎只要三天的神奇魔法（第九章），解決問題的技巧可以幫助你把情況由壞轉好。我會解釋何謂「意外的養育（accidental parenting）」，即父母在不知情的情況下，強化了嬰兒的負面行爲，我會用簡單的ABC策略，來教導你如何去分析哪裡出錯。

我試著讓這本書讀來生動有趣，因爲父母會將育兒方面的書籍當作是參考資料，而不是孜孜不倦的逐頁讀。如果想知道哺乳的事情，他們會察看目錄，然後只看相關的部分；如果有睡眠方面的困擾，就去閱讀睡眠的相關章節。配合大多數父母日常生活中的需要，我很能了解這樣的作法。但是以本書而言，我極力主張至少讀過前三章，那說明了我基本的原理和方法，如果能夠如此，就算你只讀其餘章節的某部分時，也能了解我的想法和勸告，就是給你的嬰兒她該有的尊重，同時，也不允許她接管整個家庭。

小孩誕生是目前你經驗過改變生活最大的一件事——比婚姻、新工作，甚至是心愛的人過世影響都還要來的大。光是要適應一個完全不同的生活方式，這樣的想法就讓人心慌，感覺也很孤立。新手父母總覺得他們是唯一不能勝任或是哺乳有問題的人。女人總認爲其他媽媽馬上就愛上可愛的小寶貝，可是不懂爲什麼自己並不這樣覺得；男人則認爲其他爸爸比他們更體貼、更無微不至。不像在英國，家庭醫生在前兩週每天都會來看一下，接下來的兩個月，一週也會來好幾次；可是在美國，在剛開始的日子，沒有人來指導這些新手父母。

我親愛的讀者，我沒辦法到你的住處去，可是我衷心希望，透過這本書，你可以聽見我，讓我來安慰你、鼓勵你，就像當我是個年輕媽媽時，小南所為我做的一樣。你得知道，睡眠被剝奪以及被情緒淹沒的感覺不會永遠持續，在這段期間，你已經盡力做到最好了。你也要知道，不只是你，其他的父母也有相同的經歷，你一定可以克服的。

我希望和你分享的原理及祕訣能夠進入你心坎裡。也許最後你不會有一個比較聰明的寶寶，但是肯定會有一個比較快樂、自信的寶寶，而且沒有放棄自己的生活。也許最重要的是，你會覺得自己養育小孩的能力還不錯。我很認眞地相信而且親眼目睹，每對新手父母內在都充滿愛心、自信、可以勝任，許多懂嬰兒語言的天才保母正在形成。

# Part 1 愛你所孕育的寶寶

我就是沒辦法忍受嬰兒的哭泣。
我真的不知道我到底陷入怎樣的狀況中。
老實告訴你，我認為那更像是在養貓。

——安妮・拉摩特

《幽默與勇氣：一個單親媽媽的育兒日記》

## 天啊！我當爸爸／媽媽了！

在一生中，所有苦樂參半的事，沒有任何事比得上初次爲人父母。幸運的是，樂趣將會不斷衍生；但是在一開始，不安和恐懼常常會掌控你的思緒。舉例來說，卅三歲的繪圖設計師亞倫，很清楚記得去醫院接他太太蘇珊那天的經過，蘇珊廿七歲，是個作家，生產過程滿順利的，他們可愛的小寶貝亞隆被妥善照料著，很少哭哭啼啼地吵鬧，兩天後，爸媽就迫不及待想離開嘈雜的醫院，開始一家子的新生活。

亞倫說：「我吹著口哨，經過大廳來到她房門，一切看起來如此完美，在我抵達前，亞隆被照顧得好好的，沈睡在蘇珊懷抱裡，一切就跟我想像的一樣。我們搭電梯下樓，護士讓我推蘇珊去曬曬太陽。當我走到車門旁，才想到忘記裝置嬰兒座椅了，足足花了半個小時才搞定。最後，我溫柔地把亞隆滑進座椅，他看起來眞像天使，扶著蘇珊進車後，向護士的耐心等待致謝，我就鑽進了駕駛座。」

「突然，亞隆開始從後座發出一些小小的聲音——不像是在哭泣，可是我不記得在醫院有聽過，或許是我沒注意到，我和蘇珊面面相覷，我大叫：『天啊！我們現在該怎麼辦？』」

每對父母都有過「現在該怎麼辦」的經歷，就像亞倫一樣。有些發生在醫院，有些在回家的路途上，甚至是到家的第二或第三天。許多事接連而來——健康的困擾、情緒的衝擊、去照顧無助的嬰兒會碰到的許多問題。有些人準備好面對這樣的衝擊，有些新手媽媽則說：「我已經翻遍所有的書了，可是沒有人告訴我會這樣。」有些則反應：「要面對的事情實在太多了，我哭了好幾回。」

剛開始的三天到五天是最難熬的，因爲所有事都沒碰過，會感到很挫折。我會被焦慮的父母的質問不斷轟炸，典型的問題是：「哺乳時間多久才適當？」「爲什麼她把腳那樣往上伸？」「這樣教導他的方式對嗎？」「爲什麼她的大便是那個顏色？」當然，最常見的問題就是「他爲什麼哭？」身爲父母，特別是母親，在這時總會有罪惡感，因爲他們認爲自己應該知道所有細節。有一個嬰兒剛滿月的媽媽說：「我好害怕哪裡做錯了，可是，我也不希望任何人來幫我或是告訴我該如何做。」

我告訴父母的第一件事，同時也不斷強調的就是放慢腳步。寶寶需要時間，需要一個耐心和冷靜的環境，需要你的力量與精力，需要尊重和和藹，需要責任和紀律，需要注意力和敏銳的觀察，需要時間和不斷的練習——從錯誤中去學習何謂正確，而且也需要聆聽你的直覺。

注意到我不斷重複「需要」。在一開始，嬰兒有好多的需要，而僅有很少的給予。可是我保證，爲人父母的喜悅絕對是無窮無盡的，只是不會在一天之內就發現，甚至要過幾個月或是幾年。更何況每個人的情況都不盡相同。在團體裡的一位媽媽，回憶她剛到家的那幾天說道：「我不知道我做的對不對，而且每個人對『正確』的定義也不同。」

除此之外，每個嬰兒也都不一樣，這就是爲什麼我告訴媽媽們，首先該做的是了解自己的寶寶，而不是過去九個月來所夢想的寶寶。在這一個章節，我將幫助你釐清對嬰兒可以有些什麼期待。可是，首先來了解剛回到家的頭幾天該注意、準備什麼。

## 回家囉！

因爲我自認是全家總動員的倡導者，而不只是針對嬰兒而已，所以我工作的一部分是要去幫助父母展望未來。在一開始我就告訴父母：事情不會永遠都是如此，你會冷靜下來，變得更自信，成爲能力所及最棒的父母；而且，寶寶將會整夜好眠，一覺到天亮。儘管目前你得降低原先的期望，做好萬全的準備去面對即將到來的好日子以及不順遂的時光，不要太過力求完美。

### 回家前的準備清單

我的寶寶之所以順利成長，原因之一是所有準備事項在他們回家前一個月就已經就緒了。一開始你準備得越充分，日子就會越安寧，就可以有更多時間觀察寶寶，把他視為獨立的個體去了解。

◎嬰兒床或搖籃要鋪好床單。

◎設置好換尿布的桌子。準備好所有會用到的東西：紙巾、尿布、棉製紗布、酒精，放在隨手可拿取的地方。

◎準備好嬰兒的第一個小衣櫃。拆開所有包裝，卸下標籤，用溫和的、不含漂白劑的清潔劑洗好，放在專屬的衣櫃裡。

◎把冰箱、冷凍庫全都儲藏的滿滿的。在回家前的一、兩週，預備些簡易食物，事先冷藏或冷凍好。也要確定備妥基本食材和寵物的食物。你可以吃得更好、更便宜，避免慌亂地去店裡採買。

◎去醫院不要帶太多東西。否則，你將有太多提袋以及寶寶得帶回家。

回家前你準備的越充分，之後就能越輕鬆愉快。如果你事先將瓶瓶罐罐的蓋子都鬆開，箱子都打開，新東西先拿出來，到時，你就不用一邊抱著寶寶，一邊和這些東西奮戰。

我通常得不斷提醒媽媽們，這是回家的第一天——離開醫院裡有人照料一切的頭一天，一切只能靠自己。當然，能離開醫院是一件高興的事。護士可能會唐突或善意地給一些互相矛盾的忠告；醫護人員以及訪客的來來去去，也讓人無法好好休息。不管是什麼情形，多數媽媽回到家後，不是驚嚇、迷惑、疲累，就是痛苦，或是以上皆有。

所以，我建議要慢慢進入狀況。當你走過那扇門，集中精神做個深呼吸。盡量將一切簡單化。把它當成是展開一段新的冒險，你和伴侶都是探索者，而且要盡可能實際一點。產後時期是很艱困的，充滿許多障礙，只有小部分的人例外，大多數的人一路走來都跌跌撞撞。（關於產後時期的復原，在第七章有更多的說明。）

我了解當你回到家的那一刻，會覺得好像被淹沒了，但是只要依照我所列的回家的簡單慣例，就不會那麼慌亂。記得，這只是一個快速簡潔的新手訓練。稍後，會做更詳細的說明。

用對話的方式，替寶寶在家中做一次導覽。把自己當成是博物館館長，而寶寶則是一個訪客。記得我曾經說過的尊重：你必須把小寶貝當成獨立的生命個體來看待——可以了解、可以感覺的個體。就算她說著你無法了解的語言，稱呼她的名字仍然非常重要，讓彼此的互動像是在對話，而非演說。

把她抱在懷裡，遊覽這個家，讓她認識即將要生活的地方。和她對話，用一種溫柔、和善的音調，解釋每個房間：這裡是廚房，就是我和爸爸做飯的地方；這裡是浴室，就是我們洗澡的地方之類的話。也許你會覺得像個傻瓜。很多新手父母，當第一次和他們的寶寶對話，總會感到害羞。沒關係，只要多練習就好，你將會發現意想不到的結果。只要記得在你懷裡的，是一個幼小的獨立個體，所有觸覺、感官都在感受身邊的一切，雖然還小，可是已經認識你的聲音，甚至你身上的味道。

給小寶貝來個海綿擦浴，餵他吃一餐。牢牢記得你不是唯一受到衝擊的人，小寶貝也正在進行他的新旅程。想像一下，一個小人兒瞬間來到產房，眼前一片光亮，然後突然被人以很快的速度及力量摩擦、拍打，耳邊充滿了陌生的聲音，在醫院和其他的小人兒一起被照料幾天後，又從醫院到了家裡。如果他是過繼的小孩，這旅程可能就更長了。

## 限定訪客

除了少數很親密的親戚及朋友外，說服其他人在剛開始的幾天不要來訪。如果父母老遠趕來，他們能為你做的最棒的事，就是幫你做飯、清掃，或其他一些跑腿的事情。委婉地告訴他們，當你有需要時，一定會請求他們的幫助，但是現在這段時間，你真的想獨自去了解你的小寶寶。這是一個絕佳的機會，去凝視你所孕育的自然奇蹟。去熟悉他的每一處，他的小手指、小腳趾，不斷跟他說話，和他緊緊相擁，親自哺乳或是給他一個奶瓶，看著他逐漸萌生睡意，讓他從一開始就養成良好的習慣，在他的嬰兒床或搖籃裡入睡。

提示：醫院的育嬰室非常溫暖，就像是在子宮裡一樣，所以要確定寶寶的新房間的溫度大約是攝氏廿三度。73 F°

## 慢慢來

你已經得處理一堆事情了，不要再承受額外的壓力。不要對自己生氣，只因爲你沒有得到通知或是發送道謝的小信函，每天給自己一個可以掌控的目標。把該做的事按照輕重緩急分類標上「很緊急」、「可以稍後處理」、「等到我感覺好點再處理」。如果在評估每樣工作時，能夠保持冷靜和誠實，你會驚訝地發現有太多事都被分在等到我感覺好點再處理這一類。

小憩一下。不要打開袋子，不要打電話，不要去想還有哪些事情還沒做，你已經累了，當寶寶入睡時，好好利用這段時光。寶寶得花幾天的時間，從誕生的震驚回復過來。對才一、兩天大的嬰兒來說，連續睡個六小時並不會不正常，也是給你時間讓傷口恢復。還要有這樣的警覺：就算你的寶寶異常安靜，也可能只是暴風雨前的寧靜！他可能從你身體吸收了一些藥物，或是在生產過程中太過疲累，就算你是自然生產。他還沒顯現出本性，在稍後你會讀到，他的眞實性格很快就會浮現。

## 有關寵物的提醒

動物也會嫉妒初來乍到的寶寶，畢竟，這就像是帶另一個小孩加入家庭。

狗：你沒有辦法告訴你的狗，預備寶寶的到來，可是你可以從醫院拿條毯子或是尿片，讓狗習慣寶寶的味道。當你從醫院回家，在進門前先讓狗在門外認識這個新生兒。狗領域性很強，不太歡迎陌生人。所以如果狗習慣寶寶的味道會有幫助。我也建議所有父母不要讓寶寶獨自和任何寵物相處。

貓：有一個古老的迷信，就是貓喜歡躺在嬰兒的臉上，其實牠們只是被一團溫暖所吸引。最好的方法就是讓貓遠離嬰兒房，以防牠跳到嬰兒床，蜷縮在你的小寶貝身邊。嬰兒的肺是很脆弱的，貓毛和纖細的狗毛一樣，可能會導致過敏，甚至引發氣喘。

## 你的嬰兒是哪一種類型？

在羅比出生後的第三天，麗莎對我說：「他在醫院就像個天使，爲什麼現在總是哭個不停？」這是我要提醒媽媽們的，在醫院所認知的嬰兒，回到家後，很少還是自己所以爲的樣子。

事實是，所有的嬰兒吃飯、睡覺、回應刺激、平靜下來的方式完全截然不同。你可以稱之爲性格、個性、天性，在出生的第三天到第五天，會開始慢慢顯現，它同時顯示寶寶是哪種類型，將來也大概是這個樣子。我這樣的說法，是來自親身經驗，因爲我現在依然和很多我帶過的寶寶保持聯絡。我看著他們長大，他們現在和人打招呼的方式、面對新情境的方式，甚至和父母、朋友互動的方式，跟他們嬰兒時期的核心本質都一樣，沒有改變。

戴弗，一個骨瘦如柴、臉紅通通的早產兒，需要庇護來防止吵雜和燈光，也需要更多的摟抱才覺得安全。現在在學走路了，仍然有點害羞。安娜，一個充滿朝氣的小女孩，在頭十一天，每天都一覺到天亮，對她媽媽來說，是很容易帶的小孩，她媽媽是個單親媽媽，以人工授精方式懷孕，她告訴我，過了第一週，就不需要我了。現在安娜十二歲了，個性仍然很開朗。

暫時不管我的臨床觀察，許多心理學家提出研究證明性格的一致性，也提出許多狀況來描述不同的類型。哈佛的研究員傑洛米・卡根和其他心理學研究者都提出證明，事實上，有些嬰兒比其他人敏感，有些比較難相處，有些比較容易鬧情緒，有些比較逗人喜愛，有些嬰兒的行爲則比較容易預期。這些性格會影響嬰兒如何去察覺、處理環境，也許對新手父母來說最重要的是可以去了解、安撫她。要看透你的寶寶的竅門，就在於去認識、接受她原本的樣子。

我向你保證，性格是可以去影響的，不是一生下來就決定的。沒人敢說小時候難帶的嬰兒，長大後就會對你惡言相向；或小時候看起來很虛弱的，第一次參加舞會就會當壁花。我們不敢說天性沒有任何影響，但是在發展當中，後天扮演很重要的角色。當然，要全力支持、培育寶寶，你得了解他的天賦。

以我的經驗而言，嬰兒大致可分成五種類型，我稱之爲天使型（Angel）、教科書型（Textbook）、敏感型（Touchy）、活潑型（Spirited）、性情乖戾型（Grumpy）。稍後我會一一描述。爲了幫助你了解寶寶，我設計了一份廿題的測驗，適用於五天到八個月大的健康嬰兒。記住，在頭兩週，他的個性也許會有明顯的改變，但是那只是暫時性的。舉例來說，割包皮或是其他一些異常的分娩症狀像是黃疸會讓嬰兒想睡，會混淆嬰兒的本性。

### 天性使然或是後天栽培

哈佛的研究員傑洛米・卡根，在研究嬰兒和幼童的性格，得注意的是，就像廿世紀大多數的科學家一樣，他也是被訓練相信社會環境的影響是凌駕於生物學之上的。然而，他過去廿年來的研究，卻提供了不同的看法：

他在《葛倫預言書》（*Galen's Prophecy*）（他是在第二世紀後，第一位將性格分類的醫生）裡寫道：「當我確認那些健康、充滿魅力的嬰兒，是誕生在充滿親情、經濟穩定的家庭裡時，我承認我偶而會感到悲傷，他們在生命的一開始就充滿了許多規定，比較難去放鬆、感到自然、衷心的開懷大笑，其中有些小孩還得跟慾望搏鬥，變得陰鬱，而且擔心明天的課題。」

我建議你和伴侶個別的來回答問題；如果你是單親媽媽或單親爸爸，尋求父母、兄弟姊妹、其他親戚、好朋友、保母的加入，簡而言之，就是有長時間與寶寶相處的人。

爲什麼需要兩個人來作答呢？首先，特別是你和你的配偶，我敢保證你們的觀點就不一樣，畢竟，沒有兩個人對任何事情的看法都相同。

第二，寶寶在不同人面前，表現也會不盡相同，生活也正是如此。

第三，我們容易將自己投射在寶寶身上，有時對她們的性格強烈地感到認同，只看到我們想看的部分，沒有去了解，可能過分的專注或是盲目，只注意某些特徵而已。舉例而言，如果你幼時很害羞、甚至被戲弄，當你的寶寶在陌生人面前哭時，你可能會有太多說詞，要想像你的小孩會和你一樣遭遇社會焦慮、被嘲弄。我們也發現，當這個小傢伙第一次自己抬起頭來的時候，爸爸大概會說：「看看我的小足球員。」如果她聽到音樂就會安靜，五歲就開始學鋼琴的媽媽，可能會說：「我就知道她遺傳了我的好聽覺！」

但是千萬不要因爲答案的不同而去爭吵，這不是一場比賽，看看誰比較聰明或是比較了解寶寶，這只是讓你們去了解這個加入生活的新生命的一種方式。你們可以統計一下成績，看看寶寶最接近哪種類型。當然，有些嬰兒是綜合各型的。這個用意並不是要將你的嬰兒分類，那是很沒有人情味的，只是要提供你一些暗示去了解我在你的寶寶身上看到的訊號，像是哭泣、反應、睡覺、性情等，所有幫助了解寶寶需要的一切。

## 了解寶寶的測驗

在以下的問題中，挑選出最適合的答案，也就是最能夠描述寶寶大部分時間的狀況。

**1．我的寶寶**

A很少哭

B只有餓了、累了或被過度刺激時才會哭

C不是因爲顯著的理由而哭泣

D大聲哭泣，如果我不去關心一下，很快地就會哭得更大聲

E經常都在哭

**2．該睡覺的時候，我的寶寶**

A會安靜躺在他的床上，漸漸進入夢鄉

B通常在廿分鐘之內就會睡著

C會吵一下，看起來就快入睡的樣子，但是一會兒就又醒了

D總是靜不下來，常常需要別人抱著或是注意

E總是哭個不停，一旦被放下來就很怨恨的樣子

**3．當我的寶寶在早晨醒來，會……**

A很少哭——在我來之前，會自己在床上玩耍

B會咿唔地叫，四處張望
C需要馬上照料，不然就開始哭
D放聲大哭
E啜泣

**4．寶寶的笑**

A對每一件事、每一個人笑
B當被引導時才笑
C當被引導時，可是有時笑了幾分鐘後開始哭
D常笑而且是有聲音的笑，像是要製造很大的嬰兒喧鬧聲一樣
E只有在一些適當的情況下才會笑

**5．當我帶寶寶外出時，他**

A非常容易就跟著走
B如果不是太匆忙或不尋常，他都願意
C吵個不停
D非常需要我的注意
E不喜歡被人家操縱太多

**6．當面臨友善陌生人的輕聲逗弄，寶寶**

A馬上就笑了

B停頓一下，然後通常很快就笑了

C開始會先哭，除非她認同陌生人

D變的很興奮

E很少會笑

**7．當有很大的聲響出現，像是狗叫或是門猛地關上，我的寶寶**

A從不慌亂

B會注意到，但是不會被打擾

C看得見他的畏懼，通常就開始放聲大哭

D開始發出響亮的聲音

E開始哭

**8．當我第一次替她洗澡**

A她喜歡水，像隻鴨子似的

B她有點驚訝這樣的觸感，可是幾乎馬上就愛上了

C她非常敏感——有點受驚，看來有些害怕

D她非常狂野——拍打、潑濺

E她很討厭，開始哭

**9．我的寶寶的肢體語言通常**

A總是很放鬆、很機敏

B大部分時間很放鬆

C緊繃，對外界的刺激容易有反應

D躁動的——他的手腳總是不斷揮舞

E死板——手腳通常都僵直著

**10．我的寶寶製造大聲、有勁的聲響**

A偶一爲之

B只在她玩耍或是被高度刺激時

C很少

D常常

E當她生氣時

**11．當我替他換尿片、洗澡、或是穿衣服時**

A他總是大方接受

B如果我慢慢來並讓他知道我要做什麼，他就同意

C他會暴躁不安，像是不能忍受裸體一樣

D不斷扭動，試著把桌上的東西都踢下去

E他很討厭──換衣服就像是一場戰爭

**12．如果我突然帶她到光亮的地方，像是日光或日光燈下，她**

A很大方的接受

B有時候反應像是受到驚嚇

C過度眨眼睛，或是試著把頭從光源轉開

D變得太過興奮

E變的很惱怒

**13a．如果你用奶瓶餵：當我餵食我的寶寶，她**

A總是循規蹈矩的吸吮，很專注，通常在廿分鐘之內會完成

B在加速成長期有一點沒規律，但一般來說，算是好的進食者

C非常好動，得花很長的時間才喝完一瓶奶

D很有幹勁的抓著奶瓶，有吃太飽的傾向

E常常暴躁不安，餵食得花很長的時間

**13b．如果你哺餵母乳：當我餵食我的寶寶，他**

A馬上就能含住──從第一天就能含住

B花了一天或兩天才能恰當地含住，但是現在我們進行的很順利

C總是想含住，但會斷斷續續的，像是忘記怎麼吃奶似的

D只有我用他希望的方式抱他時，才會好好吃奶

E變得很惱怒、焦躁，好像我沒有足夠的奶給他吃

**14. 描述我和寶寶之間溝通的最好評論是**

A她總是讓我精確的知道她的需要

B大多數時間她的暗示容易被理解

C她讓我感到困惑，有時甚至對著我哭

D她顯示她的喜好非常清楚且常常很大聲

E她通常利用大聲、生氣的哭聲來吸引我的注意

**15. 當我們參加家庭聚會，有許多人想要抱他時，我的寶寶**

A適應力很強

B稍微會選擇願意讓誰抱

C如果太多人抱，會很容易哭

D如果他覺得不舒服，也許會哭或試著從某人的懷抱裡掙脫

E除了媽媽或爸爸，誰也不給抱

**16. 不管從哪裡郊遊回家，我的寶寶**

A馬上而且很容易就平靜下來

B過了幾分鐘才能適應
C變得很大驚小怪
D常常被過度刺激，很難冷靜下來
E表現得很生氣、很痛苦

**17．我的寶寶**

A可以凝視任何東西，甚至是嬰兒床的橫木，長時間的自己消遣
B可以自己玩樂約十五分鐘
C在不熟悉的環境，很難自得其樂
D需要很多刺激才能逗她歡樂
E很難被其他東西逗的高興

**18．我的寶寶最顯而易見的特質是**

A令人難以置信的行爲表現良好以及從容
B大多按照正確的時間來發展——就像書上寫的一樣
C對每樣東西都很敏感
D非常的有幹勁
E總是不高興

**19．我的寶寶看起來**

A在她自己的床感到十足的安全
B大多數的時間偏好她自己的床
C在她的床覺得不安全
E每當放她在她的床，就很憤慨

**20．對我的寶寶最好的註解是**

A你很難會知道在房子裡有個嬰兒——非常乖
B很容易可以去掌控、預期
C是個非常敏銳的小傢伙
D我很害怕當他開始爬行的時候，他總會搞亂所有東西
E是個熟客——表現的像是他從前就在這似的

要統計自己的得分，在紙上依序寫下A、B、C、D、E，數數看每個字母得了幾次，就是表示相對應的類型。

A：天使型嬰兒（Angel baby）
B：教科書型嬰兒（Textbook baby）
C：敏感型嬰兒（Touchy baby）
D：活潑型嬰兒（Spirited baby）

E：性情乖戾型嬰兒（Grumpy baby）

## 瞄準寶寶的類型

統計你的答案，就有機會選出較爲顯著的一種或兩種類型。在讀以下的描述時，要記得我們是在說明人在生活上展現的某種方式，並不是偶發的情緒或是在困境下顯示的典型行爲，例如腹絞痛，或者是某種發展的特別里程碑，像是長牙。也許你會在稍後的短短速寫中，識別你的寶寶，也有可能她有一點像這型，有一點像那型。閱讀這五種描述，每一種概況我都會舉一個典型的寶寶做爲例子。

天使嬰兒。你可能這樣期望，這是初次懷胎的女人想像中的寶寶：非常乖巧。寶琳就是這樣——甜美、總是掛著笑容、要求不高。她的暗示很容易可以理解。對於新環境不會感到惱怒，配合度很高。事實上，你帶她到哪都不會有問題。讓她進食、玩耍、睡覺都很簡單，而且通常當她醒來也不會哭。你會發現，大多數早晨，寶琳會在她的床上咿咿呀呀，對著那些填充玩具動物說話，或是看著牆上的斑紋自我娛樂。天使嬰兒通常能自己平靜下來，可是如果她有點太累，可能是她的暗示被誤解了，這時候你只要抱抱她，告訴她：「我知道你有點累了。」就可以了。然後，打開催眠曲，讓房間舒適、昏暗且安靜，她就會自己入睡了。

教科書嬰兒。這是可以預期的寶寶，所以也很容易去掌控。奧利弗做的每件事都有線索可循，他身邊很少出現令人驚訝的事。他完全按照計畫表成長三個月大時就能一覺到天亮，五個月時會翻身，六個月時就能坐著。甚至只有一週時，他就會自己玩耍一會兒，大約是十五分鐘，但是會常常低聲唔唔叫、環顧四周。當別人對他笑，他也會對他人笑。雖然奧利弗也會有暴躁不安的時期，就像書裡所描述的，也很容易平靜下來。而且要讓他入睡也不是件難事。

敏感嬰兒。像麥克這樣極端敏感的寶寶，這個世界充滿了無止境的知覺挑戰。在他窗外摩托車加速的聲音、電視的聲響、隔壁的狗叫聲，都會讓他感到懼怕。對於明亮的光線，他會眨眼或是把頭別過去。有時候沒來由地哭泣，甚至是對著他媽媽哭。在那些時刻，其實他正在大聲叫（以嬰兒語言而言），「夠了，我需要一些平靜和安寧。」被一堆人抱過或是外出回來後，會變得緊張。他可以自己玩一會兒，但是他得確定有熟悉的人——媽媽、爸爸、保母就在他附近。這類型的嬰兒很愛吸吮，所以當他在吸安撫奶嘴時，媽媽有可能會誤解他的暗示，以為他很餓。有時候他吸奶時也會表現得很怪異，像是忘記要吸一樣。在夜晚和午睡時間，麥克很難入睡。像他這樣敏感的寶寶，生理時鐘容易亂掉，因為系統太脆弱了。一個長長的午睡、一餐忘記吃、沒有預約的訪客、一趟旅行、慣例的改變，這些事情都會讓麥克頭大。要安撫敏感型的嬰兒，你得再製造像子宮那樣的環境。緊緊抱著他，讓他依偎在你的肩膀，在他耳邊低語噓……噓……這樣的旋律（像是子宮內的液體的潑濺聲），模仿心跳的節奏，溫柔地拍拍他的背。這可以安撫大多數的嬰兒，而且對於敏感型的嬰兒特別有用。當你有一個敏感寶寶，你越快理解他的暗示和哭泣，生活就會越簡單。這些寶寶喜歡有條理、可預期，不要給他突然的驚喜，他會謝謝你。

活潑型嬰兒。這種嬰兒似乎在子宮時就顯現了她的偏好，也絕不會吝惜讓你知道。像凱倫這樣的寶寶非常愛說話，有時甚至看起來像要挑釁。常常一早起床就對著爸媽大叫。她討厭和自己的大小便躺在一起，她會大聲吵鬧來表示不舒服，在告訴你「幫我換掉」。事實上，她常常而且大聲地學說話。她的肢體語言也有躁動的傾向。常常需要去限制凱倫的行動，她才能入睡，因爲她的手舞足蹈常讓她很有精神且太過刺激。如果她開始哭，且沒有被人打斷，就表示沒人反駁，她就會哭得更兇直到極度興奮。活潑的嬰兒在還小時，就會奪取她的奶瓶。在別的嬰兒還沒注意到她之前，她已經注意到他們，等到她夠大可以去有力的抓取時，她也一樣會去搶奪別人的玩具。

性情乖戾嬰兒。對於像蓋文這樣表現的像個熟客（old soul）似的寶寶，我自創了一套理論，就是他們並不高興再回到這裡。當然，我也許是錯的，不管理由是什麼，我敢說這類的嬰兒眞是十足的坦率、直言無諱，我們在約克郡是這樣形容——他對這個世界非常光火，而且會讓你知道他這樣想。（共同作者說，在意第緒語也有這種說法、稱之爲從遙遠的地方再度光臨的人。）蓋文每個早晨都在啜泣，白天也不太會笑，每個晚上爲了睡覺的事抱怨不已。他媽媽得花很多時間來慰留看護，因爲他們無法適應這小傢伙的壞性情。首先，他討厭洗澡，每當有人要替他換衣服或穿衣服時，他就會很不安、很急躁。他媽媽哺乳時，由於胸部有點鬆弛，乳汁會沿著乳頭慢慢流下，蓋文就顯的很沒耐心。即使她已經按照慣例地給他轉換，因爲他暴躁不安的性格，使得哺乳仍然很困難。要安撫一個性情乖戾的嬰兒，需要很有耐心的爸媽，因爲這些嬰兒會變得非常生氣，而且哭得很大聲、很久。他們討厭被束縛，而且一定會讓你知道。如果性情乖戾的嬰兒瀕臨崩潰，不用反覆說：「沒關係、沒事的」，只要輕輕將他來回搖擺就好。

提示：不管你搖擺哪一類型的嬰兒，是要前前後後的來回搖，不是向兩邊搖或上下搖。在你的嬰兒誕生前，當你走路時，她就像喝醉酒似的在你體內來回搖動，所以她習慣、也對這種擺動感到舒服。

## 幻想與現實

從上述的描繪中你可以發現寶寶的影子，他也有可能是混合其中兩種。不管是哪個例子，這些資訊是要指引你、啓迪你，而不是用來警告你；同時，也不是要讓你知道該如何去分類，而是讓你了解如何去預期、處理寶寶的特質。

稍等一下……你說這並不是你夢想中的寶寶？他很難哄？老是動來動去？看起來很容易生氣？不喜歡被抱？你感到非常迷惑，甚至有點生氣，也許還覺得後悔。別這樣，你並不孤單。身懷六甲時，差不多所有的父母都在想像這個新生兒的樣子：長的什麼樣子，長大會變成怎樣，最後會成為怎樣的一個人；特別是那些上了年紀好不容易才懷孕的夫妻，或是到了卅歲、四十歲才成立家庭的人而言。卅六歲的莎拉，有一個教科書型的嬰兒，當麗麗五歲時，她向我承認說：「一開始和她相處時，我只有大概廿五%的時間感到快樂，我覺得我似乎不夠愛她。」當律師的南西，在她快五十歲的時候，藉著代理孕母的方式生下天使嬰兒朱利安，然而她受到驚嚇，發現這是多麼的困難，馬上就覺得自己做不到，她憶起她看著只有四天大的兒子，向他懇求：「甜心，饒了我們吧！」

適應期可能持續幾天或幾週，甚至更長，得視在嬰兒誕生前的生活型態而定。不管期間多久，我希望所有父母最後都會衷心接受他們的寶寶，以及他加入後的新生活。

提示：媽媽們可以跟任何能提醒你們起伏是很正常的人聊天，像是有相同經歷的好朋友、姊妹、母親。爸爸們跟自己的哥兒們聊天則可能不太有幫助，在「爸爸與我」這個團體裡的男性告訴我，新手爸爸們會互相比較，特別是在缺乏睡眠和性生活方面。

有趣的是，重點不在於到底嬰兒是哪一種類型，因爲父母有太多的期望，沒有一種嬰兒，能滿足他們的想像，就算是天使型嬰兒也不例外。舉例來說，琴和喬納森這對都在職且職責重大的父母，當克萊兒出生後，我很難想像還會有更棒的嬰兒，乖乖進食、會自己玩耍、睡得很安穩，她的哭泣也很容易解讀，可是喬納森卻依然擔心「她是不是有一點太順從了？她可以睡這麼多嗎？她這麼溫和，一點也不像我！」我猜想，喬納森有點失望，因爲他不能跟在全美失眠耐力比賽中的伙伴一較高下，我向他說道，他應該想想上天有多寵愛他，擁有克萊兒這種天使嬰兒是多麼開心的事。誰不想要一個呢？

### 一見鍾情？

隔著房間，眼光交會，你發現你已經墜入愛河了——至少好萊塢會發生這樣的劇情。對許多伴侶來說，事實並非如此。對媽媽和嬰兒之間來說也是一樣。有些媽媽一眼就愛上了她的寶寶，大多數人則需要一些時間。你又累又怕，最難的可能是你希望一切都很完美。可是卻事與願違，所以不要讓自己情緒欠佳，愛上寶寶需要時間。就像成人之間一樣，當你了解那個人時，才是真愛來臨的時候。

當然，當父母滿懷期盼安靜、溫順的寶寶，可是截然不同的情況讓他們感到震驚。在頭幾天，當新生兒安靜睡覺時，他們相信夢想成眞了。突然事情改變，寶寶變得精力充沛、活潑好動。「我們該怎麼辦？」通常是第一個想法，「我們能怎麼做？」則是第二個。第一件事是要承認他們的失望，接著相對調整他們的期望。想像你的小孩是美麗人生的一個挑戰。畢竟，每個人在人生當中都有些課題要學，我們從不知道什麼人或是什麼事將教導我們。在這個經驗裡，寶寶肯定將扮演老師的角色。

有些時候，父母並沒有察覺到他們的失望；或者如果有的話，他們也覺得太難為情，而無法用言語去表達失望的情緒。他們不想承認他們的嬰兒並不是想像中那麼可愛或聽話，也沒有出現期待中那種一見鍾情的心情。我遇見太多、父母有這樣的經歷。也許聽聽他們的故事，會讓你感到好過一點。

瑪麗跟提姆。瑪麗是一個和藹可親、溫柔婉約、行事通情達理的女人。她的丈夫也是一個非常冷靜、穩重、講理的人。當他們的女兒梅寶出生時，在頭三天看來就像個天使嬰兒。第一晚睡了六個小時，第二晚也差不多這麼長的時間。可是，當他們回家後，梅寶的眞正性格才開始漸漸浮現。她的睡眠斷斷續續，而且很難安靜下來，要讓她睡著可不容易。這還不是最糟的。她會猛然發出小小的吵雜聲和哭聲。當訪客試著抱她時，她會不停扭動，發出嗚咽聲。事實上，她常沒來由地就哭了起來。

瑪麗和提姆不敢相信寶寶竟如此敏感。他們不斷談論朋友的寶寶多容易入睡，可以長時間自己玩耍，而且在車上會乖乖的。我幫助他們眞正了解梅寶——一個敏感型的嬰兒。因為她的中央神經系統尚未發育完全，所以她喜歡凡事可預期；需要父母多花點時間，特別是去安撫她。為了讓她適應環境，瑪麗和提姆得很溫和以及有耐心。他們的小女孩是一個敏感的人，有她獨一無二的習慣。她的敏感並不是問題所在，而是要教導他們去認識她的方法。況且，她是遺傳自他父母，所以應該不會太離譜才是。像瑪麗一樣，梅寶需要慢一點的步調；像他爸爸，她渴望平靜。

那些洞察和一點點的鼓勵，幫助瑪麗和提姆接受將和他們一起生活的孩子，而不是希望梅寶能像朋友的孩子一樣。在她身邊，他們會放慢步調，限定抱她的人數，開始更仔細地觀察她。

瑪麗和提姆發現，在其他方面，梅寶會很明顯地暗示。當她開始受不了時，她會轉過頭去——不管是誰正注視著她或是一些活動的物體。以她做為嬰兒的表達方式，梅寶在告訴她的父母：「夠了！」媽媽發現如果很快地對這些暗示做出回應，讓梅寶小睡一下就會變得比較簡單；可是如果忽略了，梅寶就會開始嚎啕大哭，很久才能讓她平靜下來。有一天當我突然造訪時，瑪麗熱心地和我分享她對梅寶的新發現，要是不慎忽略梅寶的暗示，她就會開始哭。幸運的，她媽媽會尊重地告訴她：「親愛的，對不起，我沒有注意到。」

珍和亞瑟這對可愛的佳偶，是我的最愛之一，他們等了七年才有小孩。詹姆士在醫院看起來也像是天使嬰兒。但是當他們回家後，換衣服時會哭，洗澡會哭，只要一哭，立刻越哭越兇。雖然珍和亞瑟風趣又幽默，卻無法讓詹姆士開懷，他看起來總是如此悲哀。珍說：「他常常在哭。而且在我胸前也顯得很沒耐心。我得承認，我們很期待他的片刻小憩。」

他們憂心忡忡地說出這些話，很難去承認寶寶看起來總是不開心。就像許多父母一樣，珍和亞瑟認為得做些什麼。我建議「讓我們退後一步，把詹姆士當成一個人來看待。」「我看到一個小男孩試著在表達『嘿，媽媽，幫我換衣服時，請保持一些距離。』還有『不會吧！又要吃了。』或是『天啊！怎麼又要洗澡了？』」當我替這性情乖戾的嬰兒配音時，珍和亞瑟的幽默感就被觸發了。我告訴他們我對於性情乖戾的嬰兒的熟客論調。他們了解地笑了。亞瑟說：「我爸爸就是那副樣子，而且我們喜歡他那個樣子。我們覺得他的個性就是那樣。」小詹姆士不再看起來像個蓄意要破壞他們生活的怪物。他就是詹姆士，一個有個性、有需要的人，就像其他人一樣，每一個人都應該被尊重。

現在，當要幫他洗澡時，珍和亞瑟不再感到害怕，他們會放慢步調，給詹姆士多一點時間，讓他適應水，在洗澡過程中也會不斷的和他說話。他們也不再限制他的行動。他們學會去預料他的需要，如果他們能夠處理得當，每一個人都會好過一點。詹姆士六個月大時，還是很容易生氣，但是至少他父母接受他天性如此，知道如何安撫他強烈的情緒。詹姆士很幸運，在這樣年幼的時期，就能被父母了解。

從這兩個最極端的例子來看嬰兒兒語：尊重是最基本的。就像你無法讓所有人都適用相同的處方，對嬰兒來說也是一樣的道理。你不能說姊姊的兒子餵奶時喜歡用這樣的方式被抱著，或是被放下來時喜歡被襁褓包著，你就認定你的小男孩也會這樣。你也不能假設因為朋友的女兒很開朗、不怕生，你的小女孩也會如此。忘記這些一廂情願的想法，你得面對事實，到底你的小孩是什麼德行——去了解什麼才是對他最好的方式。如果你用心觀察與傾聽，你的寶寶會確切告訴你他的需求，以及如何幫助他度過這些困難。

最後，那種了解和同理心會讓你的寶寶的生活容易一些，因為你幫助他建立他的優勢、抵銷他的缺點。還有一個好消息：不管你的寶寶屬於哪一型，如果生活平靜又可預期，所有的寶寶都會成長得較好。下一章，我將協助你開始一個規律的生活，可以讓你的家庭欣欣向榮。

Part 2

# 輕鬆建立規律

餓了就吃。渴了就喝。累了就睡。

——佛教格言

我有預感，如果一開始就照規矩來，她會開心一點。而且，我看到朋友的寶寶就是這樣的。

——某位教科書嬰兒的媽媽

## 成功處方：有規律

每天我會接到許多父母電話，他們焦慮、迷惑、不知所措，最嚴重的是，他們沒時間睡覺。他們不斷問問題，尋求答案，因爲他們的家庭生活品質很糟糕。不管問題有多特殊，我總是建議相同的補救方法：有規律。

舉例來說，卅三歲的廣告經理泰莉堅稱五週大的蓋斯「進食習慣很差」，她說：「他總不乖乖喝奶，吃一頓要花大約一個小時，而且他總是不好好含住乳頭。」我問她的第一件事是「妳有維持一個規律的程序嗎？」她猶豫地告訴我答案——響亮、清晰的兩個字「沒有」。我回答泰莉說稍晚我會過去看看是怎麼回事。雖然只有這麼一丁點的訊息，但是我可以確定發生什麼事了。

當我稍後提供泰莉我的方法時，泰莉感到疑惑地問：「時間表？」她反對說：「不，不要有時間表。我以前整天都在工作，每份差事都有很緊湊的時間表，我辭掉工作來照顧我的小孩，現在你告訴我，照顧他也得有張時間表？」

我並不建議精確的期限和嚴格的紀律，而是一個充實但具彈性的原則，當蓋斯的需要改變時，也能跟著配合。我澄清說：「我指的時間表不是像妳想像的那樣，是個有條理的規律——有組織、規律的計畫。不是說生活得照著時鐘走，完全不是。但是妳得讓嬰兒的生活有一貫性、規律。」

我看得出泰莉仍然有點懷疑，但我向她保證這方法不但可以解決蓋斯的問題，也可以讓她了解兒子的意思。餵蓋斯要花一小時左右，我解釋那可能是她誤解蓋斯的暗示。沒有一個正常小孩得花一小時吃飯。我猜測蓋斯應該比他媽媽想像中進食還要有效率。他放開泰莉的乳頭是表示「吃飽了」，可是泰莉卻要他繼續吸。換做是泰莉，在那樣的情況下她不會覺得煩嗎？

我也了解泰莉還沒成功。下午四點她還穿著睡衣，顯然沒什麼自己的時間，連花十五分鐘去洗澡都不行。故事先到此爲止。也許幫助泰莉建立規律，答案似乎太簡單。但是不管情況多特殊——餵食問題、睡眠不正常、絞痛判斷錯誤，一套有條理的規律通常可以解決問題。如果偶爾還是會很艱困，至少是往正確的方向前進了。

泰莉不知情地忽略蓋斯給的暗示。她讓蓋斯決定步調，而不是替他建立一套慣例讓他可以遵循。我知道跟著嬰兒的腳步走是這個時代的流行，不幸的是，這種想法讓父母誤以爲任何結構或慣例，會限制嬰兒的自然表達能力及發展。我向那些父母說：「她只是個嬰兒，看在老天的份上，她還不知道什麼對她來說才是好的。」你得記住，尊重寶寶和讓她主導一切有很大的差別。

除此之外，由於我所倡導的是全家總動員的方式，我總是告訴父母，「你的寶寶是生活的一部分，而不是另外一回合。如果我們讓嬰兒決定步調，順著他的意思吃飯或睡覺，不用六週，家裡一定一團亂。所以，我總是建議在一開始就建立一個安全、一致的環境，設定一個步調讓嬰兒跟隨。我稱之爲E.A.S.Y.，因爲它的確是很簡單。」

## 適用所有人的E.A.S.Y.

E.A.S.Y.是我替所有嬰兒所建立的規律，理想中是從第一天就開始實施。把它當成是一個不斷循環的週期，大約是三小時左右這些部分會按照順序發生。

E——Eating（吃飯）。不管寶寶是哺育母乳、喝奶瓶或是兩者皆有，食物是他最原始的需求。嬰兒是小小的進食機器。相對於他們的體重來說，他們的卡路里攝取量是肥胖者的二至三倍！

A——Activity（活動）。在三個月大之前，你的寶寶大概七〇%的時間都在吃飯和睡覺。如果不是在吃飯或睡覺，大概就是在換尿布或衣服、洗澡、在嬰兒床或毯子上咿咿呀呀叫、坐在嬰兒車裡散步閒晃、坐在嬰兒椅上望向外頭。好像和我們所謂的活動不太一樣，但是對嬰兒而言，這就是了。

S——Sleeping（睡覺）。不管他們是睡得很安詳，或是斷斷續續睡著，所有嬰兒都需要去學習在自己的床上入睡，引導、培養他們的獨立性。

Y——You（你自己的時間）。也就是說，寶寶睡覺時就是你的時間。只要依照我的E.A.S.Y.來做，每幾個小時就會有一段屬於你的時間，讓你休息、恢復精神，當你恢復活力，就可以把事情做好。在頭六週要切記，產後時期不管是在生理上或情緒上，都需要讓自己從分娩恢復過來。媽媽們總是急著想讓生活進入軌道，或是因爲寶寶對進食的不斷需求，讓媽媽沒有休息的時間，像一匹累壞的馬兒一樣。

## E.A.S.Y.的時間表

每一個嬰兒都不一樣，但是從出生到三個月大，下列是一個很典型的慣例。當你的寶寶吃飯變得更有效率，可以更長時間自己開心地玩，可以大膽地彈性調整這個時間表。

◎吃飯：哺乳或喝奶瓶約廿五至四十分鐘的時間；一般約三公斤或更重的嬰兒，大概兩個半至三個小時就得再餵一次。

◎活動：四十五分鐘（包括換尿布、換衣服、一天一次好好洗個澡）。

◎睡覺：花十五分鐘可以入睡；小憩約半小時至一個小時；在兩週大或三週大之後，晚上睡覺的時間會越來越長。

◎你自己的時間：當寶寶睡著後，大概有一小時或更多的時間；當寶寶越長越大，吃飯不用花那麼多時間，可以獨自玩耍，睡的更久時，妳就會有更多的時間。

和其他一些照料嬰兒的養育法相較，E.A.S.Y.是一個合情合理、實用的中間立場，對大多數的父母來說，比起在許多時下風行的極端方法裡舉棋不定，這是一個受歡迎的減輕負擔的法子。其中一派是講求鐵的紀律，專家們相信，要「訓練」嬰兒養成正確的行為是會存在掙扎的：妳得放任他們哭泣，有時讓他們感到一些挫折，不能每次寶寶一哭就趕緊抱抱他，這樣會把他「寵壞」，寶寶得嚴格遵守時間表，融入你的生活，依照你的需求生活。另外一派的觀點在現在則比較多人捧場，提倡跟隨嬰兒的步調，這邊的專家告訴媽媽們，要對「嬰兒的立即需要」做出反應，我個人覺得，這樣將造就一個高要求的小孩。擁護這個信條的人相信，要培育一個適應良好的小孩，妳得滿足他的各種需要……要是這樣去做，就像是奴隸一樣，妳將得放棄自己的生活。

事實上，這兩種觀點都不會成功。其中一種，妳並不尊重寶寶；另外一種，妳又不尊重妳自己。相對來說，E.A.S.Y.則折衷採取一個全家人的觀點，它滿足每個人的需要，而不只是迎合寶寶的需要而已。妳會細心地傾聽、觀察，尊重寶寶的需要，同時，也讓她適應家庭生活。從表中可以看出E.A.S.Y.和立即回應寶寶需求、按照嚴格的時間表行事三者的不同點。

## E.A.S.Y.的概述

| 立即回應需求 | E.A.S.Y. | 依照時間表作息 |
| --- | --- | --- |
| 只要寶寶有需要就會餵食——當寶寶哭時就餵，一天大約十至十二次。 | 有條理但是充滿彈性的運作，大約兩個半到三個小時會循環一次吃飯、活動、睡覺、你的時間 | 預先已決定多久會餵食，完全按照時鐘作息，大約三至四小時一次 |
| 無法預期——看寶寶何時需要 | 可預期——父母會決定一個步調，讓寶寶跟從，寶寶也知道可以預期什麼 | 可預期但是令人感到焦慮且生氣——父母會預先安排行程表，但是寶寶可能不喜歡 |
| 父母沒有學習去解讀寶寶的暗示，可能寶寶一哭就解讀為肚子餓 | 因為很合邏輯，父母可以預期寶寶的需要，更容易去理解不同的哭泣所帶來的暗示 | 如果不依照時間表，寶寶的哭泣會被忽略，父母也沒有學習如何去解讀寶寶的暗示 |
| 父母沒有自己的生活——寶寶才是主導一切的人 | 父母可以規劃他們自己的生活 | 父母是依照時間在做事的 |
| 父母感到迷惑，屋子裡常常一團亂 | 父母對於他們照顧寶寶的方式感到自信，因為他們瞭解寶寶的暗示和哭泣的意義 | 當寶寶不按照時間表行事時，父母常常覺得罪惡、焦慮、甚至生氣 |

## 為什麼E.A.S.Y.會有效

不管任何年紀的人，都喜歡因襲慣例——如果凡事有規律，他們就會運作得更好。例行公事對日常生活來說是普通的，每件事都存在一個有邏輯的秩序。在家裡、工作的地方、學校、甚至儀式，都設立一套系統，讓我們感到安心。

想想自己每天的例行公事。有時你並沒有意識到它的存在，卻可能在每天早晨、晚餐時間、就寢時間，一再地重複這些習慣。當其中一個慣例被打破時，妳有什麼想法？甚至只是像水管有問題讓你無法在早晨淋浴，路障讓你得繞道而行，用餐的時間被耽擱了一下，這樣的芝麻小事都有可能讓一天完全走樣。對嬰兒來說又有什麼不同？他們也需要慣例，這就是為什麼E.A.S.Y.會有效的原因。

嬰兒不喜歡驚喜。當他們能夠每天大約同一時間規律地吃飯、睡覺、玩耍時，他們那纖弱的系統會發揮到最好。也許每天會有些變化，但不會很多。小孩子，特別是嬰兒和幼兒，喜歡知道下一步會發生什麼。對於一些驚喜，他們會變得不乖。想想丹佛大學馬歇爾・海斯（Marshall Haith）博士開創性的視覺觀察力研究：他發現嬰兒眼睛雖然在第一年有些微的近視，可是協調非常好，甚至從出生開始，當電視螢幕將出現可預期的事時，他們會去尋找尚未發生但是即將要發生的事，藉著追蹤嬰兒的眼睛移動，海斯證明「當影像是可預期的，嬰兒會因為期待而準備就緒；所以當你玩弄他們，他們會心煩意亂」海斯表示，很顯然的，嬰兒需要而且偏好慣例。

E.A.S.Y.讓嬰兒習慣事情的自然秩序——食物、活動、休息。我看過父母當寶寶吃完飯就馬上把他們放到床上，通常是因為他們吃著吃著就睡著了。我並不建議如此，有兩個理由，第一，嬰兒會變得依賴奶瓶或媽媽的胸部，需要這些才睡得著。第二，你喜歡每次餐後就睡覺嗎？除非是假日或是吃太飽，不然你大概不會喜歡。通常妳在餐後都會有些活動。成人的例行公事是：吃早餐、上班上學或玩耍、午餐、繼續上班上課或玩耍、然後晚餐、洗澡、睡覺。爲什麼不讓嬰兒也這樣做呢？

有條理讓家裡的每個人都感到安心。有條理的規律讓父母設定一個步調給嬰兒跟隨，也創造一個環境幫助他們知道接下來會發生什麼。E.A.S.Y.並不是死板板的不能更動——我們會傾聽寶寶的聲音，回應他們特殊的需要，但是會讓一切都存在有邏輯的規律。是我們而不是嬰兒設立這個行程。

舉例來說，在下午五點或六點，嬰兒會在育兒室或某個安靜的場所喝奶（吃飯），遠離廚房的香味、嘈雜的音樂、還有其他小孩的喧鬧。然後是活動時間，在黃昏大概就是洗澡（活動）了。每次都是一樣的作法。穿上睡衣後，就該上床睡覺（睡覺）了，所以我們把燈光轉暗，放些輕柔的音樂。

這個簡單計畫的可愛之處，就是嬰兒知道下一步將是什麼，當然每一個人也都清楚。這就表示父母也可以規劃自己的生活。其他兄弟姊妹也不用急就章地被套上這樣的經歷。最終，每個人都可以得到需要的愛以及關懷。

E.A.S.Y.幫助父母理解嬰兒。因爲我照顧過這麼多嬰兒所以我懂他們的語言。當嬰兒哭來表示「我餓了——餵我吃東西」，和表示「我的尿布濕了——幫我換」，或是「我累了——幫我平靜下來」，這三種哭聲聽起來是不同的。我的目標就是幫助父母學習如何去傾聽及觀察，讓他們能夠了解嬰兒的語言。但是這需要時間、不斷的練習、以及從錯誤中去學習。在這一段時間裡，經由E.A.S.Y.，甚至讓你可以在精通嬰兒的語言前，就聰明地猜測出寶寶的需求。

舉例而言，假設寶寶已經進食過，過去廿分鐘躺在客廳的毯子上看著黑白交錯的波浪線（活動）。如果她突然開始哭，妳可能知道她大概太累了，已經準備好下一步：睡覺（睡覺）。不是在她嘴裡塞個東西，或是帶她去兜風，或是把她放在會震動或搖動的椅子上，妳只要放她在床上，先安撫她的情緒，馬上就會睡著了。

E.A.S.Y.替你的嬰兒建立完整但是具有彈性的基本原則。E.A.S.Y.設立一套指導原則和慣例，讓父母可以根據嬰兒的性情做調整，當然，也根據他們的需求變動。舉例來說，我曾經幫過葛麗泰的媽媽琴經歷過E.A.S.Y.四個不同的變化。琴只有在第一個月時哺育母乳，接著就讓葛麗泰喝嬰兒奶粉，這樣進食方法的改變通常也需要去改變慣例。此外，由於葛麗泰是個性情乖戾的嬰兒，媽媽需要去學習如何考慮到她的每個偏好。更複雜的是，琴是一個依照時間表行事的人，當葛麗泰沒有依照她規劃的時間反應時，琴就會覺得有罪惡感。在知道這些因素後，我們了解到必須因應這些做出調整。

繼續維持一樣的順序——吃飯、活動、睡覺，當寶寶逐漸長大才會有所改變。我爲新生兒設計的典型E.A.S.Y.時間表，一般來說可以適用到嬰兒三個月大時。滿三個月後，嬰兒會睡的比較少，一天之內小憩的次數也會減少，由於吸吮變得更有效率，吃飯的時間也會縮短。那個時候，你已經了解你的寶寶，要調整慣例是很簡單的。

E.A.S.Y.可以促進養育子女的合作，不管配偶有沒有和妳一起照顧。新生兒的主要照顧者通常是母親，她們沒有自己的時間的話常會抱怨，或是憤慨另一半都沒有分攤負擔。在拜訪家庭時，我看過太多這樣的難處。最令人生氣的就是，當新手媽媽試著向另一半傾訴挫折時，反而得到「妳有什麼好抱怨的？只是要照顧好寶寶而已。」的回應。

媽媽說：「我整天都得跟著她，她已經足足哭兩個小時了。」

媽媽只是想要好好發洩一下，然後事情便會過去。但是她的配偶腦海馬上浮現答案，想要去修正情況，所以他會建議「我幫妳買個背帶。」或是「妳怎麼不帶他去散步？」結果，媽媽變得生氣而且覺得不被理解；爸爸則變得洩氣、感到煩惱。爸爸不明白媽媽過的日子，他想的是，她到底需要我做些什麼？而他現在最想做的就是躲到報紙後面，或是打開電視觀賞他最喜歡的籃球隊伍。同時，媽媽覺得就快發狂了，而不只是愛哭的女人家而已。他倆不但沒有處理寶寶的需要，反而陷入僵局。

E.A.S.Y.可以挽救這樣的情況！當規律建立，爸爸可以了解媽媽過的日子，同樣重要的是，爸爸也可以是規律的一部分。我發現當男生有具體的任務要執行時，他們會表現的最好。所以假使爸爸會在六點到家，妳可以看看有什麼工作可以讓他接手。很多男人喜歡幫嬰兒洗澡，還有餵他吃晚餐。

雖然不是那麼常見，但是有些家庭是男主內、女主外。不管是哪一種情況，我會建議不管是誰在外頭工作回來，你們三個應該花個半小時時間一起相處。然後鼓勵整天待在家的人出去散散步——冷靜一下。

**提示：當你工作後回家，你應該趕緊換掉工作服，就算你是坐辦公室的人。衣服還留有外頭的味道，會擾亂嗅覺敏感的嬰兒，而換掉衣服也不用擔心把衣服弄髒。**

在萊恩和莎拉的例子裡，E.A.S.Y.阻止他們爭辯「什麼才是對寶寶泰迪『最好』的方式」。當我第一次幫助莎拉讓泰迪按照慣例行事時，萊恩正在旅行，當他回家後，可以理解他想多抱抱、貼近寶寶，泰迪並沒有花很多時間適應爸爸的抱抱，那個時候泰迪才三週大，結果讓莎拉沒辦法把泰迪放下來不抱他，爸爸不經意地訓練泰迪期待好多的擁抱，特別是在他小憩和睡覺前。當莎拉打電話給我，我解釋得再讓泰迪適應在睡覺前沒有人抱的習慣，特別是當萊恩又得出門，只剩下媽媽時。因爲泰迪還很小，所以我們只花了兩天就讓泰迪又回到軌道上。幸運的是，因爲萊恩了解E.A.S.Y.的原則，所以這次當他回家時，他和太太一起努力合作著。

單親爸爸或單親媽媽呢？不得不承認，在一開始他們通常會經歷一段艱辛日子，因爲沒有人可以在身旁換班。但是，除了幾次情緒失控之外，卅八歲的凱倫，覺得她的狀況比一般夫妻來的好。她觀察到沒有人和她爭辯現在該做什麼或是怎麼做。讓馬太依照E.A.S.Y.來行事，的確幫助凱倫讓事情簡單一點，不用去尋求別人的幫忙。她回憶說：「因爲我記下了每件事，當朋友或是家人幫我照顧小孩時，他們知道馬太的需要，他何時想睡、何時想玩等等，他們不需要去猜測。」

提示：如果你是個單親媽媽或爸爸，朋友是很重要的救助者。對於那些不能或不想幫忙照顧小孩的，記下他們可以幫忙分擔的家務事、採購或是其他差事。記得必要的時候得開口求助，不要期待其他人能看透你的想法，而他們沒有這樣做時感到忿忿不平。

## 決定了就開始做

我知道有條理的規律這種想法，可能與你從朋友那裡聽來的或是書上讀到的有所違背。替小嬰兒規劃一天這個概念，在大多地方並不受歡迎，有些甚至認為這很殘忍。有些書所提到的，就像你的親戚或朋友所建議的一樣，在三個月大時才去建立某些慣例，這聽起來似乎很有道理，但那時寶寶已經有點大，而且睡眠也有一定的習慣。

簡直是一派胡言，為什麼要等待呢？大混亂通常那時正要來臨，除此之外，三個月大時也不會自動發生反射動作，因為這時大多數的嬰兒已經有大幅的發展，但是慣例並不是某些年齡會顯現出的現象——它是需要學習的。有些嬰兒，通常是天使型或教科書型，在那之前就會有一套自己的慣例；其他人也許不會，但是三個月大時，他們不但沒有養成慣例，反而產生一些吃飯或是睡覺方面的困擾，如果在還小時就有培養某些慣例，這些困擾就可以避免掉或減到最少。

依照E.A.S.Y.的方法，你不但可以指引寶寶，同時，也能了解他的需求。當他三個月大時，你已經知道他的習慣，而且也了解他的語言。這時候就可以幫助他建立良好的習慣。小南曾經教我，決定了就開始做。也就是說，你希望家庭變成什麼樣子，當寶寶從醫院回家後，就開始那樣去做。

但是問題在於父母通常不明白當他們做了決定，常常導致我所謂的「意外的養育」。他們沒有理解當他們頭幾週花時間去決定什麼才是他們所要的，或是他們並沒有意識到他們的行為和態度，已經影響到他們對待寶寶的方式。他們沒有在決定後就放手去做。（在第九章對於意外的養育，以及如何解決它所引發的問題有更多討論。）

老實說，通常是大人而不是嬰兒製造令人困擾的處境。當個父母，你必須做個帶頭的，畢竟，你懂得比嬰兒來的多，先不管寶寶的獨特個性，父母的作法的確可以讓事情變的不同。我曾經碰過天使型嬰兒和教科書型嬰兒，因爲被混亂搞得很困惑，變成無事忙的小傢伙。不管寶寶是哪一種類型，記得，她的習慣或發展掌握在你手上，要徹底考慮自己的行爲。

## 當心你的教養方式

注意要謹慎小心，對周圍的一切感到警覺，謹記每一個時刻。我建議在養育新生兒時，要持有這樣的觀念。讓你自己對可能造成的習慣要更加小心注意。

舉例而言，我建議總是抱著寶寶只爲了哄他入睡的父母，試試抱一袋約十公斤的馬鈴薯半小時，那是幾個月後你想做的事嗎？那些不斷陪在寶寶身旁爲了逗他玩樂的父母，我問他們「當寶寶大了一點，你希望你們的生活是什麼樣子？」不管你是要再投入工作或是待在家裡，如果他總是需要你的注意，你會開心嗎？如果答案很明顯，你現在需要採取行動來培養她的獨立性。

想想你的慣例也是有所幫助的。當你的日子因爲某些意外而走樣，或是某個阻礙改變你原有的習慣，你會怎麼樣？你變的煩躁、沮喪，甚至會發火，進而影響你的食慾和睡眠品質。寶寶也一樣，除了他不能安排自己的慣例，你得協助他做這件事。當你替他安排了一個合情合理的計畫讓她有所適從時，會讓他覺得更有安全感，你自己也可以輕鬆一點。

## 放任者與計畫者

父母有時一開始都會排斥有條理的規律這個點子。當我說「我們即將要介紹寶寶一天生活的架構時」他們會驚訝地倒抽一口氣，感到厭惡。有些爸媽會大聲叫嚷：「天啊！不是吧！書本告訴我們要讓寶寶主導，要確定迎合寶寶的所有需求，不然他會感到不安全。」也不知為什麼會有這種錯誤的觀念，覺得讓寶寶按照慣例，就會忽略他們自然律動的模式，或是放任他哭泣。他們不明白結果恰恰相反：進行E.A.S.Y.可以幫助父母更了解寶寶的意思，而能迎合他們需求。

有些父母以懷疑的眼光看待有條理的規律這個方法，因為他們認為這會剝奪生活中自然發生的事。我最近拜訪一對年輕的夫婦，他們就是這樣覺得。他們信奉他們所認為的「自然」教養方式——他們告訴我，他們不想被侷限住。曾經是牙醫保健專家的克蘿，透過助產士的幫忙，在家裡生產；電腦奇才席斯，則刻意選擇一個彈性的工作，好讓自己大部分時間都在家工作，這樣就能幫忙照顧小孩。當我問到「伊莎貝拉通常是什麼時候喝奶？」或是「什麼時間會小憩一下？」他們兩個一臉迷惑地看著我，過了一會兒，席斯終於回答：「這個嘛，就得看我們那天是怎麼過的。」

那些一開始就抗拒E.A.S.Y.方式的夫妻，通常最後會落在我所謂放任或計畫這連續帶上的另一端。有些放任者很珍惜他們自由自在的方式，像是克蘿和席斯；有些人則天性就不喜約束，覺得無法被改變。也有可能像泰莉一樣，想要改變規律的生活型態，變得鬆散一點，不要有那麼多的規矩。不管是哪一個例子，當我說到「有條理的規律」時，他們聽到的是「行程表」，想到的是時間表，他們誤以為我在要求他們放棄生活中自然而然發生的事情。

當我遇見那些生活滿是混亂或是全然放任的父母時，我都老實告訴他們：「你得先養成良好的習慣，才有可能潛移默化孩子。我可以教導你如何去辨識寶寶的哭聲，以及如何滿足他們的需求。除非你採取行動提供一個合適的環境，否則不可能給寶寶安全感和平靜。」

在連續帶上的另一端是計畫者，丹和蘿莎麗兩人都是好萊塢的大牌製作人，凡事照著書上所說的來做。他們家裡一塵不染、有條不紊，時間計算誤差要在幾分鐘內這樣分毫不差。在蘿莎麗懷孕期間，他們不止一次地想像寶寶融入這樣的步調當中。但是在溫妮出生後幾週，事情並不如當初他們所想的。蘿莎麗解釋道：「溫妮通常都會按照她的時間表，但是有時後她會醒得較早或是吃得較久，然後我們一整天就變調了，能不能教我如何讓她回到原有的軌道上？」我試著向他們解釋，我雖然強調一致的重要性，但是我也相信彈性，我告訴他們：「你必須要能調整成寶寶的步調，她才剛剛要去適應這個世界，你沒法子期望她能照著你的步調走。」

我一點也不驚訝，當他們用自己的法子試了幾週或幾個月後，最後終於懂了。當初拒絕E.A.S.Y.方法的父母又打電話找我，因為他們的生活已經搖搖欲墜，或是他們不知道身邊暴躁不安的寶寶到底需要什麼。如果媽媽是個計畫者，在過去非常有效率及具組織力，她常不懂為什麼行不通；或者她是個放任者，跟隨寶寶自由發展，讓一個無助的嬰兒成為主導者，卻奇怪自己為什麼沒有時間去洗個澡、換衣服，她已經許久不曾和另一半說說話或是吃個飯。不管是哪一種情況，我的答案都是：從混亂中冷靜下來，或是讓你的某些需要來主導——使用E.A.S.Y.方法。

## 你的放任／計畫指數

當然，有些人天生就喜歡計畫，有些人則喜歡隨意而行，大部分的人則界於兩者之間。爲了了解你自己，我設計了一份簡單的問卷，幫助你了解自己是落在連續帶上的哪一段。每一個項目都是建立在過去廿年來，我所遇見許多的不同家庭。藉著觀察父母如何整理房子以及經營他們的日常生活而來，我能很確定地告訴你，當寶寶來臨時，他們如何調適生活，融入有條理的規律中。

### 放任／計畫的指數（WPQ）

每一個問題，圈選出最能形容你的。以下面這些說法：

5：總是（Always）
4：通常是（Usually Yes）
3：有時候（Sometimes）
2：通常不（Usually No）
1：從不（Never）

我會依照行程表過生活。 5 4 3 2 1
我偏好人們在來訪前先打個電話。 5 4 3 2 1

| | | | | | |
|---|---|---|---|---|---|
| 在購物或洗衣後，我會馬上把東西收拾好。 | 5 | 4 | 3 | 2 | 1 |
| 我會把每天或每週的事情的優先順序排好。 | 5 | 4 | 3 | 2 | 1 |
| 我的書桌非常整齊。 | 5 | 4 | 3 | 2 | 1 |
| 我每週會去購買我需要的食物或其他用品。 | 5 | 4 | 3 | 2 | 1 |
| 我討厭別人遲到。 | 5 | 4 | 3 | 2 | 1 |
| 我會小心盡量不讓自己過度負荷。 | 5 | 4 | 3 | 2 | 1 |
| 在計畫開始前，我會把所有會用到的東西先擺出來。 | 5 | 4 | 3 | 2 | 1 |
| 我定時會打掃和整理我的衣櫃。 | 5 | 4 | 3 | 2 | 1 |
| 當我做完某件家事，會把使用的東西收拾好。 | 5 | 4 | 3 | 2 | 1 |
| 我會事先規劃。 | 5 | 4 | 3 | 2 | 1 |

要算出你的指數，把得分相加除以12，你的得分會介於1至5之間，就是你落在連續帶上的位置。爲什麼這個問題重要呢?原因是如果你太接近兩個極端，在一開始使用E.A.S.Y.時可能會有問題，因爲你不是太一板一眼就是太過放任，當然這不代表你無法執行有條理的規律，只是你可能需要比落在連續帶中間的父母，多花一些心力、耐心來實施E.A.S.Y.。下面將解釋每一個得分的寓意，以及可能會面臨的挑戰。

5～4：你大概是一個非常有系統、有組織的人。喜歡每件事都很有秩序，凡事按照規矩來。我敢說對於有條理的規律這個點子，你不會去排斥，甚至還非常歡迎。你的困難點會在於讓日子加入一點彈性，或是因應寶寶的性情、需求，讓習慣作一些改變。

√ 4～3：雖然對於一絲不紊或結構性不是那麼熱衷，但是系統性還不錯。有時你允許房子或辦公室有點亂亂的，但是最後你還是會把一切收拾好，需要的話，也會花時間讓東西恢復原狀。如果使用E.A.S.Y.，你會因而享有一段無壓力的時光，而且因爲本身具有某些彈性，當寶寶有其他意見時，在調整上也不會有問題。

3～2：你是有點混亂、組織不太好的人，但是不會讓事情弄得一團糟。要管理一個有條理的規律，你可能需要記下你該做的事，才不會偏離軌道。記下寶寶每天進食、玩耍、睡覺的確切時間。可能也需要將該做的事列一張清單（80頁）。好消息是你已經習慣一點點混亂，所以寶寶突然加入應該不會讓你太意外。

2～1：你是個十足放任的人，凡事都憑直覺。要管理有條理的規律對你而言將是個挑戰。你絕對需要記下每一件事，你的生活方式將會徹底改變。

## 改變他們的處境

幸運的，大多數父母都能改變他們的處境，除了一些罕見的例外。我發現落在連續帶中間的父母馬上就能理解，可能是因爲他們天性就具有彈性，他們可以體會有條理帶來的好處，同時也能忍受一點點混亂。如果他們能把自己從努力做到完美的狀況中釋放出來，那些總是冀望成就比預期大或是凡事愛挑剔的父母，也就能從E.A.S.Y.得到放鬆，因爲它是可以管理而且具條理的。他們通常得努力讓自己有彈性一點。看到那些全然無條理可言的父母，也能掌握邏輯、領略E.A.S.Y.的好處，是我最快樂的事。

## 當E.A.S.Y.看來窒礙難行

這很少見，但是有些父母對於建立一個有條理的規律，的確有很大的困擾。理由通常如下所述：

◎他們不具任何遠見。大體來說，嬰兒期的發展是長遠的而非一時之見。有些父母卻認為E.A.S.Y.只是在無病呻吟，他們從來就沒有去了解或是喜愛他們的寶寶。

◎他們不堅定。隨著時間流逝，慣例會有所更動，可能是因為寶寶或是你自己的需求，而有所調整。當然，你每天的架構仍要保持類似——吃飯、活動、睡覺、然後你的時間。親愛的，是有點枯燥，但是真的有效。

◎他們不採取可行的中間路線。他們不是認為得讓寶寶適應父母的的需要，不然就是信奉寶寶一切至上的教條。

漢娜。當我初次見她，她的指數就是5。當我說她依著時鐘一分不差的餵她寶寶，我可不是開玩笑的。她確確實實遵守規矩，她在醫院裡被告知，餵米拉姆吃奶時每十分鐘就換邊，她的確如此做。每當她餵奶時，都會設定計時器。當鈴聲一響，她會拉開米拉姆，讓她換邊吸；再過十分鐘，鈴聲又會大作，米拉姆就會被抱進漢娜房裡睡覺。恐怖的是，漢娜又會再度設定計時器，她解釋道：「我每十分鐘就進去，如果她還在哭，我會讓她放心，然後再讓她待十分鐘，接著就重頭再來一次，直到她睡著。」不管那十分鐘內，米拉姆是不是哭了九分鐘，她一定遵照時鐘的指示。

我鼓起勇氣，用一種機智、敏銳的口吻告訴她：「把那該死的計時器丟掉！讓我們仔細傾聽米拉姆的哭聲，試著去理解她想告訴我們的。我們觀察她如何進食，細心看待她小小的身軀，讓她的暗示告訴我們她需要什麼。」我馬上向她解釋E.A.S.Y.的方法，幫助漢娜建立規律。漢娜花了幾週才適應這個方式（當然，米拉姆馬上就習慣了），過不了多久，米拉姆進食後，就能自己一人玩一會兒，等到她發出疲累的訊息時，漢娜就會把米拉姆抱到床上休息

泰莉。泰莉的指數爲3.5，儘管如此，當她一聽到有條理的規律這個想法時，仍覺得驚駭。以我個人的看法，我覺得她的指數應該是接近4的，因爲她當了好幾年握有大權的高階經理。有可能她的答案其實是反映出她想成爲的那個樣子。不管是什麼例子，一旦她放棄抗拒，首先第一件事就是專心於讓蓋斯的進食回到軌道。我協助泰莉，讓她了解其實蓋斯進食是多麼有效率，當他在胸部上逗留，只是在吸吮而已。很快的，泰莉就能分辨蓋斯的哭聲是餓了還是太累了。我也建議她用圖表來記錄蓋斯每天的進食、活動時間、休息，當然，還有她自己的時間。建立這個架構，記錄下他每天的成長，知道可以去期待些什麼，這樣讓泰莉更精通蓋斯的哭聲，也讓她有更多屬於自己的時間。她覺得她做得更稱職了，事實上，她覺得生活變得更順利了。

翠莎和傑森。兩個都是在家工作的顧問，兩人的指數都接近1。他們約卅幾歲時，是很甜蜜的一

對，但是當我們初次會面諮詢，坐在他們的客廳裡，我不得不要求關上辦公室的門，才不會看見腐壞的甜甜圈、用過的咖啡杯、還有四處散落的紙張。顯而易見的，這一家讓混亂主宰一切。椅子上有成堆的髒衣服，地上有臭襪子、毛衣與各式各樣的日常用品；廚房裡，櫥櫃都是打開的，水槽裡都是髒碗盤。可是這一切似乎對翠莎和傑森沒有半點影響。不像有些夫婦會自制一下，傑森和翠莎在這懷孕的九個月，依然沒什麼改變，但是他們知道一旦女兒來臨，一切都會變的不同。我幫助他們了解當寶寶加入後，他們的生活方式會有哪些具體、明確的改變。不只寶寶需要不會被過度刺激的私屬空間，讓她吃飯、玩耍、睡覺，翠莎和傑森也得堅決尊重她的需要。

伊麗莎白在週六出生，隔天就回到家裡。我給了他們一張清單留在身邊，上頭列了他們需要的東西。他們很講信用，幾乎所有的東西都買齊了，美中不足的是育兒室的準備、打開所有包裝、讓東西放在伸手可得的地方這些部分。撇開這些小毛病不說，傑森和翠莎眞是令人不可置信，在維持E.A.S.Y.這個慣例上做得眞好。當然，依麗莎白是個教科書嬰兒也有所幫助。當她兩週大時，她的父母對於讓她維持在軌道上，一點麻煩也沒有；到了七週大，她在晚上可以連續睡五、六個小時，都不會醒來。

雖然傑森和翠莎依然沒變：卻沒有犯一點錯。至少他們有了一個好的開始。他們的房子開始變得整齊，但是大部分地方還是像是個戰場。雖然如此，依麗莎白還是在成長茁壯，因爲她的父母替她創造了一個安全舒適的環境，也替她設定可以跟從的步調。同樣的，泰莉也還是泰莉，一邊將愛分享給蓋斯，一邊懷念她的工作生涯。我料想雖然她承諾不會再工作，也許會再重新評估一次這個決定。果眞如此，適當的運用E.A.S.Y.，她和蓋斯在這個過渡期都會很順利。漢娜也始終是漢娜，她不再設定計時器，但是她的房子仍然潔白無暇；米拉姆還不會走，現在很難去告訴她那樣過活。但是，至少漢娜懂她女兒的語言了。

## 你的寶寶如何進行E.A.S.Y.

自然地，寶寶做得如何還是得看他自己。我的第一胎莎拉是個活潑的嬰兒，每個小時都有很多需要而且極力堅持。她是個黏人專家，隨時留心你，她眼睛張開的那一刻，就要我陪著她，簡直把我累壞了。我們處理的方法就是套用前後一致的結構。我們在睡前時光有個老規矩，這是我不曾動搖過的，只要我如此做，她就會回到軌道上，所有困境似乎都有了改善。接著她妹妹蘇菲，一開始就是個天使嬰兒。由於已經習慣了莎拉的胡鬧，對於我的新寶寶如此安靜，總讓我覺得非常驚訝。不瞞你說，有好幾個早晨，我會低身趨近蘇菲的小床，看看她是否還在呼吸。她就在那兒，完全醒著，滿足地對著玩具咿咿呀呀。我很少會去想到要替這小可人兒設定一套規律。

你可以對你的小孩有些什麼期望？沒有任何一個方法可以讓你確切知道。但是我只確定一件事：我從來沒遇過套用E.A.S.Y.的嬰兒沒好好成長，或是哪個家庭使用有條理的規律卻沒有使狀況改善的。如果寶寶是個天使嬰兒或教科書嬰兒，你不用做太多，他內在的時鐘就會讓他有個好的開始。可是如果是其他型態的嬰兒，可能就需要花點心思。以下是你可能可以對你的寶寶有的期待。

天使型。不用太驚訝，他是個性情溫柔、順從的嬰兒，很容易適應經過規劃的日子。愛蜜麗就是這樣的寶寶。她從醫院一回到家，我們就讓她實行E.A.S.Y.，第一天晚上，她就從晚上十一點睡到早上五點，一直到她三週大時都是如此，之後她都是從十一點睡到七點。她媽媽的朋友都很羨慕。在我的經驗裡，這是很典型的狀況——在有條理的規律下，許多天使嬰兒在三週大時就可以一覺到天亮。

教科書型。這也是一個你很容易可以掌握的嬰兒，因爲他的個性很容易就可以讓你去預期。當你開始實施慣例，他會跟隨你的步調，不太會分散他的注意力。湯米很規律地餓了就醒，而且可以快樂地從晚上十點睡到早上四點，六週大後，就可以睡到早上六點。我發現教科書嬰兒在七或八週大時，就能一覺到天亮。

敏感型。這是最脆弱纖細的嬰兒，她非常鍾愛可預期的慣例。你前後越一致就能越了解彼此，她就越快能一覺到天亮——如果她的暗示被解讀正確，大約是在八或十週大時就可以做到。但是如果沒有的話，那可要當心了。除非敏感嬰兒是在有條理的規律下，否則哭聲很難判斷——而那只會讓她更煩躁。就像愛麗絲，幾乎任何事都可以驚嚇到她，從預料之外的訪客到屋外的狗吠都一樣。她媽媽得花更多心力注意她的暗示。如果忽略餓了或累了的訊號，太久才餵她或是抱她到床上休息，敏感嬰兒不消幾分鐘就開始哭鬧，那時就很難安撫。

活潑型。這種嬰兒，有他自己的主張，也許會反抗你的計畫。或是當你認爲你爲他設定了良好的慣例，他卻決定那是起不了作用的。然後你得花一天，仔細去觀察他給的線索。看看他的要求，讓他回到軌道上。活潑嬰兒會告訴你什麼對他有效、什麼無效。拿巴特來說，每次他媽媽在哺乳時，他就會突然睡著了，又叫不醒——這發生在實行E.A.S.Y.一個月後。我建議小潘找一天好好傾聽跟觀察兒子。她發現巴特在白天睡的很少，當他醒來時，其實都還沒睡飽。她了解到巴特快醒的時候，她介入得太快，沒有去傾聽他給的提示。當她等一會兒而不是衝進去時，她發現巴特又會繼續再睡一會，之後進食時就會靈活一點。她就讓他又回到軌道上了。大約要十二週，活潑嬰兒才會一覺到天亮。他們表現的像是深怕錯過什麼有趣的事，而不想睡覺。他們也很難會放鬆一下。

性情乖戾型。這種嬰兒可能不喜歡任何一種慣例，因爲對大多數事情他都不同意。但是如果你可以讓他在軌道上，而且始終如一的話，他會快樂一點。這種嬰兒非常緊張，但是在E.A.S.Y.的架構下，對於洗澡、換裝、甚至吃飯都不會太多問題，因爲至少這壞脾氣的小傢伙知道將發生什麼事，也許還會甘願一點。雖然這類嬰兒實際上需要的是條理和堅忍不拔，卻通常都會被診斷爲腹絞痛。斯圖亞特就是這個樣子，他不喜歡自己玩，不喜歡被改變，在媽媽懷裡也會鬧情緒。斯圖亞特的自然規律只對他自己有效，對媽媽可不行，因爲媽媽不會沒事在半夜特別甦醒過來。媽媽後來使用了E.A.S.Y.，現在斯圖亞特的日子比較可以預期，在晚上他開始會睡的比較久，事實上，在白天也變得較爲合作。性情乖戾的嬰兒通常在六週大時會一覺到天亮。實際上，當在床上遠離了鬧哄哄的一家子時，他們看來是最快樂的。

容我提醒你一下，當我在第一章介紹這些「不同類型」的嬰兒時：你嬰兒的表現可能混合了其中幾種。不管是哪種情況，不能將這些描述當成是金科玉律。然而，我的確發現有些嬰兒比起他人更容易實行E.A.S.Y.。也有些嬰兒，像是我的小孩莎拉，就比其他人更需要有條理的規律。

## 如何獲悉寶寶的需要

好了，現在你了解自己，也對寶寶可以期待什麼有了基本的認知。這只是個開始，就像羅馬並不是一天就造成的。開始施行有條理的規律在頭幾週也許會有點困難，因爲這需要時間和耐心，也需要堅持到底的毅力與決心。還有一些提示得記住：

記錄下一切。我給父母的其中一項工具，特別是用來幫助那些放任型的父母，就是E.A.S.Y.日誌（80頁）。這會幫助他們了解事情進行到哪裡，還有父母和寶寶在做些什麼。在頭六週，這份記錄寶寶生活的日誌特別重要，也記得用圖表來顯示你的發現。媽媽在頭六週的休息，和媽媽學習如何去照料寶寶是一樣的重要，在第七章我會做更詳細的說明。

幾天到一週的時間，就可以明白寶寶的一舉一動。也許成長突然加速，例如他食量增加。或是發現他的吸奶時間變長了，過去只要半小時的時間，現在卻花上五十分鐘或是一個小時，你得想想，他是眞的在吸奶還是只是在你懷裡睡覺，如果你花時間去觀察，就會知道答案是什麼，這也是父母學習嬰兒語言的開端，還有了解他們的寶寶的習慣。

這只是簡單的日誌形式，主要是針對媽媽設計。當你閱讀第四章到第六章時，對於餵食、排便、撒尿、活動、寶寶的一天的其他面向，你都可以讀到判斷寶寶的進展的附加指導方針。當然，你可以針對個人的特別狀況更動日誌的紀錄方式。舉例而言，如果你和你的伴侶一起照顧寶寶，每人負擔各一半工作，你可能會特別標出誰負責什麼。或是寶寶因爲早產，從醫院回家時有一些特別的問題，你需要加上欄位標明任何特別必須的照料。重點在於得前後一致，日誌只是簡單幫助你做紀錄。

把寶寶視爲一個人。你的挑戰在於認識寶寶是個獨一無二的個體。如果寶寶的名字叫做瑞秋，就不要只把她看成是個「嬰兒」，而是一個叫做瑞秋的人。你知道得開始讓瑞秋的一天變的規律，但是也得瑞秋參與才行，這表示得花幾天試驗，仔細觀察她到底在做些什麼。

**提示：記得，你的寶寶並不「屬於你」，而是獨立的個體──你被托付照料的上天禮物。**

放輕鬆……。E.A.S.Y.也是爲了提醒你，嬰兒對溫柔、簡單、緩慢的動作會有反應，這是他們的天性，不要試著讓寶寶回應你的步調，放慢你自己的，變得跟他一樣，你才能夠去看、去聽，而不是急就章。配合他的步調，因爲他的節奏是比較不具壓力的。這就是爲何我建議在抱他之前，先深呼吸三次。下一章，我將對放慢速度以及更親密、仔細的注意力，做更多的解說。

**你的E.A.S.Y.日誌　日期：**

| E:吃飯 | | | | | | A:活動 | | S:睡覺 | Y:你 |
|---|---|---|---|---|---|---|---|---|---|
| 何時？ | 多少？（重量） | 右胸？（多久） | 左胸？（多久） | 排便 | 撒尿 | 什麼活動？多久？ | 洗澡（早上或下午？） | 多久？ | 休息？差事？見解？評論？ |
| | | | | | | | | | |
| | | | | | | | | | |
| | | | | | | | | | |
| | | | | | | | | | |
| | | | | | | | | | |

# Part 3 放慢腳步，欣賞寶寶的語言

我們認為，一個可以解讀寶寶的暗示、了解寶寶試著要去溝通的母親，最有希望提供一個支持寶寶的環境，這樣的環境可以讓寶寶在後來充分發展並且促進認知。

—貝瑞・萊斯特博士

（發表於布朗大學校友雜誌上《哭泣的遊戲》）

## 嬰兒：來到陌生地方的陌生人

我向父母解釋新生兒就像來自其他國家的訪客，藉著這個觀念試著去幫助父母接近他們的寶寶。我告訴他們，想像一下當他們在一個陌生卻迷人的地方旅行，風景也許很漂亮，當地人很和善、有人情味，你可以從他們的眼神看出來，可以去辨別臉上的笑容，但是要他們了解你的需要，可能會令人感到沮喪。你走進餐廳問道：「請問洗手間在哪？」卻在你的面前出現一盤義大利麵；或是剛好相反——你想飽餐一頓，服務生卻引你去洗手間！

當新生兒來到這個世上，他們就是這樣覺得。不管他們的房間裝飾得多麼整齊漂亮，父母是多麼的熱情、出於好意，他們卻被不了解的、陌生的事件或人物不斷轟炸。嬰兒溝通的方式——他們的語言——就是哭泣與肢體動作。

還有一件重要的事，記得嬰兒是依照他們的速度在成長，而不是我們的。除了教科書嬰兒之外，大多數嬰兒的發展並沒有一個準確的時間表。父母只要在一旁看著他們日漸茁壯——支持他們，不要每當他們看來似乎犯錯時就跑去援救，倉促干預。

## 踩煞車！

當我被請去協助父母了解寶寶爲什麼緊張不安或哭泣時，我知道父母都很焦慮，希望我可以立即做些動作。然而令他們驚訝的是，我會說：「等一下。讓我們試著去了解他在說什麼！」我會止步，觀察他的一舉一動——揮舞的四肢、從小嘴巴發出的聲音、背部弓起來的樣子，每個姿勢都代表某些意義。我注意聆聽他發出的聲音及哭泣，音調、強度、頻率都是嬰兒語言的一部分。

我會想像，假設我是那名嬰兒注意周遭環境。除了他的所有舉動、聲音、姿勢，我還會看房間，感覺一下溫度，聽聽這個房子裡的聲音。我看到父母的表情——緊張、疲累或是生氣，我會傾聽他們在說些什麼。我也可能會問一些問題，像是：

「你上次什麼時候餵他？」

「在他睡覺前，你常常抱著他到處走嗎？」

「他常常像這樣把腳伸向胸部嗎？」

然後，我會等待。我的意思是，你不會什麼事都不知道就介入成人的談話中，你會稍待一會兒，等待適合的時機去切入。但是對嬰兒而言，大人卻常常魯莽插話進來。他們會低聲說話、搖晃他、脫掉他的尿布、搔他癢、哄他、震動他；可能說話太大聲或太快。他們以爲在做回應，其實並不然；他們只是自以爲是的魯莽。有時候，因爲大人展現不安來回應寶寶的需求，不愼又增加了寶寶的苦惱。

這些年來，我學會在匆忙介入前先行觀察評估的重要性，止步不前行成了我的反射動作。我也發現那些不習慣哭聲、會在寶寶身邊表現焦慮的新手父母們，通常會有一段較爲艱困的時期。所以我又提倡另一個方式，來幫助父母以及其他成人照顧者，踩煞車放慢速度：S.L.O.W.。提醒大家，不要太魯莽，每個字母可以協助你記得該做些什麼。

## S.L.O.W.

當你的寶寶緊張不安或哭泣時，試試這個簡單的策略，只需要花你幾秒鐘的時間。

◎Stop（暫停）。記得哭泣是嬰兒的語言。

◎Listen（傾聽）。這個特別的哭泣表示什麼？

◎Observe（觀察）。你的寶寶在做什麼？其他狀況又是如何？

◎What's up（怎麼回事）？以你聽到跟看到為基礎，做出判斷跟回應。

暫停（Stop）。先暫停一下，不要在寶寶一哭時，就急著俯身去抱他。先做三次深呼吸，讓自己集中精神，提高你的察覺力。它可以幫助你隔離旁人的聲音及建議，因爲那會讓你不夠客觀。

傾聽（Listen）。哭泣是嬰兒的語言。猶豫一下不是建議你放任他哭泣，而是去傾聽他在向你說些什麼。

觀察（Observe）。他用肢體語言在表示什麼？周圍的環境怎麼了？在他「說話」之前到底發生了什麼事？

怎麼回事（What's up）？現在組合所有事情——你聽到的、看到的，還有寶寶現在在慣例中的哪一段——你會了解他試著向你所表達的。

## 為什麼要暫停一下?

當寶寶哭了，因爲天性使然你可能想要去挽救。你可能以爲寶寶很憂傷，更糟的是，你覺得哭泣是不好的。S.L.O.W.裡的S是要提醒你，抑制那些感覺，暫停一下。讓我解釋一下爲什麼會主張叫你暫停一下，有三個重要的理由。

1．寶寶得發展「聲音」。所有的父母都希望孩子能夠表達流暢，可以要求他們想要的和表達他們的感覺。不幸的是，許多父母在等到孩子發展口頭語言時，才開始教導這個重要技能。可是，表達的根基在嬰兒早期時就展現，也就是當嬰兒開始透過咿咿呀呀和哭泣在跟我們「交談」時。

記住，想想寶寶哭泣時會發生什麼事，媽媽通常把他抱在懷裡或是在他嘴裡塞個奶嘴，這樣不僅奪走他的聲音——本質上就是「不讓他說話」，而且不經意中訓練他不要求助他人。畢竟，每種不同的哭泣，都是寶寶在要求「滿足需要」。當你的伴侶說「我好累」時，難道你會在他嘴裡塞隻襪子嗎？如果我們不等一會兒，聽聽他說些什麼，就這樣他嘴裡塞個東西，不是一樣的道理嗎？

最糟的是魯莽的干預，父母在不知不覺中訓練寶寶不要發出聲音。當父母不暫停一下去聆聽，學習如何去分辨不同的哭泣，許多研究證明，剛出生時那些不同的哭聲，經過時間的流逝，到最後就無法辨識了。換句話說，當寶寶得不到回應，或是每個哭泣都以食物作爲「回應」，寶寶知道不管怎麼哭結果都是一樣，最後也會放棄，然後所有的哭聲聽起來都一樣。

2．你得培養寶寶自我慰藉的能力。我們都知道在成人時期自我慰藉的重要性。當我們覺得有點低潮，我們會洗個熱水澡、來個按摩、讀本書、或是出門輕快地走走。每個人放鬆的方法都不同，但是知道如何讓自己平靜下來或是入睡，是很重要的處理技巧。這個技能在各個不同年齡層的孩子，跡象都很明顯。三歲的小孩當覺得很煩時，可能會吸大拇指或是抱著他最喜愛的填充玩具；青少年可能會躲在房裡聽音樂。

那麼，嬰兒會怎麼做呢？顯然的，他們沒辦法去散步或是打開電視放鬆一下，但是人與生俱來這種自我慰藉的能力——他們會哭、會吸吮，我們應該幫助他們學習如何利用。不到三個月大的嬰兒大概還找不到他們的手指，所以只能夠哭，哭泣是封鎖外界干擾的方法，所以當他們累了會哭。事實上，我們成人仍會如此。難道你不曾說過「我已經忍無可忍，我需要大叫一下」？你其實是想閉上眼睛，摀住耳朵，張開嘴巴大喊大叫，將其他事隔離在外。

我並不是主張讓嬰兒哭著入睡，那根本就是毫無回應，而且太殘忍了。但是我們可以把「疲累」的哭泣當作暗示，將房間的燈光調暗，讓他們遠離光線和吵鬧。此外，有時嬰兒只哭了幾秒——我稱之爲「幻影嬰兒（phantom baby）」哭泣，不一會兒就自己睡著了。他可以撫慰自己。如果我們急著介入，反而讓他喪失這個能力。

3．你得學習嬰兒的語言。S.L.O.W.是幫助你認識寶寶以及了解他的需求的工具。暫停一下，去分辨哭泣和伴隨的肢體語言，比起在她嘴裡塞個奶嘴或是抱著搖晃她，卻不清楚她的需要，你可以更確切滿足她的需求。

我必須再次的強調，暫停一下去經歷這個心理評估過程，絕不是指放任寶寶哭泣。你只是要花點時間去學習她的語言。確切去滿足她的需求，不要讓她變得太過沮喪。事實上，經由這個方法，對於解讀寶寶你會變得很拿手，你會解除警報，不讓它有機會一發不可收拾。簡而言之，停下來去觀察、傾聽，然後小心評斷，會讓你成爲更好的父母。

## 傾聽的入門

得花些時間練習，才能辨別嬰兒不同的哭泣，但是記得S.L.O.W.中的L——傾聽，還包含解讀暗示的意義在內。討論這個的用意在於，我假設你現在是採取E.A.S.Y.的慣例。在這樣的前提下，有一些提示可以幫助你更專注的傾聽：

想一下是什麼時間。什麼時候你的寶寶會開始變的緊張不安或開始哭？剛吃過飯時？剛開始玩時？睡覺時？會不會是他的尿布濕了或髒了？被過度刺激？在你的心裡，讓時間倒帶，想想看在之前甚至是昨天發生了什麼事。你的寶寶有嘗試什麼新鮮事，像是第一次翻滾或是爬行？（有時候快速成長或是其他跳躍的發展也會影響寶寶的食慾、睡眠方式、或是性情，參考129頁。）

回想一下事情的來龍去脈。在家裡還發生了什麼事？狗在吠嗎？有人使用吸塵器或其他巨大聲響的設備嗎？外頭很吵嗎？這些事情都有可能會讓寶寶心煩意亂或受到驚嚇。有沒有人在下廚，如果

**了解的好處**

在布朗大學（Brown University）嬰兒發展中心任教的精神病學與人類行為教授貝瑞．萊斯特（Barry Lester），研究嬰兒的哭泣已經超過廿年了。除了將哭泣分門別類之外，萊斯特博士還有一項研究，就是讓媽媽去識別他們滿月的寶寶的哭泣。當媽媽的察覺和研究者的分類吻合就得一分。結果發現，得分較高的媽媽，他們的寶寶在十八個月大時，智商較高；得分較低的媽媽，他們的寶寶在學習時，得要兩次半才學的會。

有，是不是從廚房裡散發出刺激的味道？空氣中是不是還有其他強烈的味道，像是空間清淨劑或是煙霧？嬰兒對氣味是非常敏感的。也想一下房間的溫度。空氣流通嗎？寶寶會不會穿太多或是太少？如果你讓他比平常外出更久，他是不是接觸到陌生的景致、聲音、香味、或是陌生人？

想一下你自己。嬰兒也會被成人的情緒所影響，特別是媽媽。如果你比平常更焦慮、疲倦、或是生氣，也會影響到寶寶。也許你接到一通煩人的電話，或是對著誰大叫。如果那時你要餵奶，他一定能感覺到你舉動的不同。

還要切記，當寶寶哭時，我們之中的大多數就是無法客觀去看待。這跟我們看到成人憂傷的哭時，沒什麼太大的差異，我們會用本身的經歷去推斷他的感受。當一個人看到女人抱著肚子的照片時，可能會說「天啊！她多麼痛苦」；但是另一個人看到，也許會認爲「她一定有了好消息——懷孕了」。當我們聽見寶寶的哭泣時，也會這樣去投射。我們認爲我們清楚他們的感受，如果有負面的暗示，我們也許會煩惱憂慮下一步該怎麼做。嬰兒挑起了我們的不安全感——還有怒氣。當媽媽發現自己「推搖籃推得太用力時」，她知道她很累而且過度緊張。

實際一點。不知道該做什麼也無所謂，納悶如何著手也沒關係。生氣也可以。會擔憂、有情緒只是代表你是個平凡的父母。只是不能把你的焦慮、怒氣，發洩在寶寶身上。我總是這樣告訴媽媽們：「寶寶不會哭死的。先走到房外讓自己花幾分鐘冷靜下來，儘管這得讓你的小孩多哭一會兒。」

提示：要讓寶寶平靜下來，你得先讓自己冷靜。做三個深呼吸。感覺你的情緒，試著去了解原因，最重要的是，讓焦慮或怒氣離你而去。

## 寶寶愛哭是媽媽不好？親愛的，絕對不是這麼一回事！

卅一歲的珍妮絲，在洛杉磯的護理學校教書，曾經和我一起共事過，在實施S.L.O.W.時有很大的困擾，因爲第一件事她就做不到。只要艾瑞克一哭，珍妮絲就覺得該去哄他，典型的作法，她會試著餵他或是在他嘴裡塞個奶嘴。一次又一次，我告訴珍妮絲相同的話：「親愛的，稍等一會兒，你就可以了解他要向妳說的話」。但是她就是沒辦法停下來。最後，有一天，她自己突然明白了，然後跟我分享她深刻的體會。

「當艾瑞克兩週大時，我跟我媽媽有一席對話，她那時剛好回去芝加哥。當艾瑞克一出生，她和我爸爸、妹妹就一起來看他，艾瑞克的割禮結束後，他們就離開了。幾天後，當我們在通話時，她聽到艾瑞克在哭，她用一種很高傲的態度問我：『怎麼了？妳是怎麼對他的？』」

儘管珍妮絲有和其他孩子豐富的相處經驗，她已經懷疑自己照顧孩子的能力，因爲她母親模糊的影射，讓她變的太過敏感。在那通電話之後，珍妮絲認爲她一定做錯了什麼事。談到最後，她母親還說：「你小的時候從來就不會哭，我是個多麼出色的媽媽。」還加上被辱罵的傷害。

這是我聽過最嚴重、傷害最大的錯誤想法之一：寶寶哭泣表示你照顧的不好。珍妮絲在腦海裡這樣解讀著，有誰會責怪她去哄艾瑞克呢？珍妮絲妹妹的寶寶是個天使型嬰兒，很少會哭，更是對情況沒有幫助。而艾瑞克是個敏感型寶寶：一點小小的刺激就能動搖他的世界。但是珍妮絲並沒有看清楚狀況，因為焦慮已經模糊了她的觀點。

在我們談過之後，珍妮絲的看法開始有了轉變。首先，她想起當她和妹妹還小時，她媽媽日以繼夜在照顧她們的，也許時間模糊了媽媽的記憶，或是在她的視線之外，家人幫她安撫了哭泣的嬰兒。不管怎樣，事實是每個嬰兒都會哭，除非有一些危險訊號才要小心。事實上，適度的哭泣對嬰兒是好的：眼淚含有某種殺菌劑，可以防止眼睛被感染。艾瑞克的哭泣只是簡單表達他的需要而已。

就算當艾瑞克大哭，要珍妮絲平息腦子裡「壞媽媽！壞媽媽！」的聲音也不容易。但是知道焦慮的原因幫助珍妮絲思考自己的舉動，而不是馬上試著讓艾瑞克安靜下來。自我省視讓她可以把兒子從自己經歷的混亂情緒中分隔開來，也幫助她可以清楚了解，艾瑞克是個多麼溫柔、敏感的小男孩——雖然和妹妹的天使型嬰兒相去甚遠，可是也是一個美好的、惹人愛的禮物。

在新生兒團隊裡新手媽媽們的故事分享也幫助了珍妮絲，因為她知道她並不孤單。事實上，我遇過許多父母在一開始實施S.L.O.W.時有困擾，都是因為他們克服不了第一關——沒辦法慢下來，暫停一下。如果他們做到了，卻又因為沒有抒解自己的情緒，而無法子去傾聽和觀察。

## 哭泣的危險訊號

哭泣是很正常、很健康的。但是下列情況你得看醫生：

◎典型的嬰兒哭泣大約是隔兩個小時或更長

◎過度的哭泣通常是伴隨著

發燒

嘔吐

腹瀉

抽搐

沒有精神

皮膚蒼白或發青

不尋常的挫傷或疹子

◎你的寶寶從來不哭，或是哭聲異常微弱，聽來像是小貓叫的哭聲

## 為什麼有時很難去傾聽

爲什麼父母有時覺得很難去傾聽一個哭泣的寶寶，或是去對他們所聽見的保持客觀，理由實在是太多了。對你來說，下列可能就是原因所在。果眞如此的話，在實施S.L.O.W.時，在傾聽這方面就會有麻煩。親愛的，把握重點：通常保持明智可以去改變你的觀點。

在你的腦海裡存有其他人的聲音。可能是你的父母、朋友、或是在媒體看過與聽過的嬰兒照顧專家。在照料寶寶時，我們過去的互動經驗也會對此有所影響，塑造了我們「好父母」該做及不該做些

什麼的想法。包括你當小孩時如何被對待，你的朋友如何對待他們的寶寶，你在電視或電影裡看到什麼，在書上讀到什麼。我們腦海裡全是別人的聲音。重點是我們不用去理會這些。

**提示：察覺你所隱藏的那些「應該」，並且知道你不用去遵從那些。它們也許適合其他人的寶寶、其他家庭，但是不適合你。**

順帶一提，在你腦子裡的聲音也許是告訴你：「就用相反的方式去做，」但是那是有所限制的。畢竟，很少有父母是壞到極點的。試著不要有某某特殊的人是很膚淺的刻板印象。假設你媽媽比你對待小孩的方式還要嚴厲，她卻可能驚人地有條理或富創意，爲什麼要否決她對寶寶所做的一切呢？

**提示：養育孩子眞正的快樂來自於我們能夠跟隨我們自己內在聲音的指引。張開雙眼，蒐集情報；考慮所有的選擇，一切照料的方式，從中選取一個最適合你以及你的家庭的決定。**

你把成人的情緒、緊張歸因於你哭泣的寶寶。當寶寶哭的時候，父母最常問的問題就是「他難過嗎？」或者他們會跟我說：「他似乎用哭泣來打擾我們的晚餐。」對成人來說，哭泣是情緒的宣洩，通常是忍不住的悲傷、快樂、有時是狂怒，甚至成人哭泣常被聯想爲負面的，其實偶爾好好哭一場是很正常、健康的。一般嬰兒哭泣的理由有別於我們哭泣的理由，不是悲傷。他們哭泣不是爲了操控某人，不是想要使喚你，或存心毀掉你的日子。他們只是嬰兒——非常簡單。她們並沒有像我們一樣的歷練或經驗。哭泣只是她向妳說話的一種方式：「我想睡了」、「我餓了」、「我吃飽了」或是「我有點沮喪」。如果你發現你自己將成人的情緒、意圖投射到嬰兒身上，想想你那汪汪叫的狗或喵喵叫小貓，你並不會認爲牠們覺得痛苦，你可能覺得牠們是在跟你「說話」。也如此對待你的寶寶。

## 健康寶寶的哭泣

| 他們可能的意思 | 他們並非在表達 |
| --- | --- |
| 我餓了 | 我生你的氣 |
| 我累了 | 我很傷心 |
| 我被過度刺激了 | 我好寂寞 |
| 我需要換個地方 | 我好無聊 |
| 我胃痛 | 我想要使喚你 |
| 我不舒服 | 我要干擾你的生活 |
| 我很熱 | 我覺得被遺棄了 |
| 我很冷 | 我怕黑 |
| 我吃飽了 | 我討厭我的嬰兒床 |
| 我想要被抱抱或是輕輕拍打 | 我希望我是別人的寶寶 |

你把自己的動機或問題投射在寶寶身上。伊芳在寶寶在入睡前總會焦慮不安，不能忍受一丁點寶寶的聲音，甚至只是從育嬰室的手提無線電對講機傳來的聲響，她都會急急忙忙跑進來。嘆口氣說：「喔，可憐的亞當，你獨自在這，是不是很寂寞？你害怕嗎？」問題不在於小亞當，而在於伊芳，「可憐的亞當」實際上應該是伊芳自認爲「可憐的我」。她先生常常出差，而她不太能獨立照顧自己。另一個家庭，唐諾每當三週大的提摩西哭時，就擔心得不得了，他會問「他是不是發燒了？」「他腳這個樣子是不是很痛苦？」如果還不夠糟，他會變的「天啊！他可能是像我一樣有了結腸炎。」

個人的焦慮會降低觀察能力。補救的方法就是知道自己的弱點，經由這樣的察覺，每當寶寶哭泣時，停止想像自己最糟的惡夢。獨自一人有困難嗎？你可能會認爲寶寶哭是因爲他寂寞。你是憂鬱病患者嗎？對你來說，每一個哭泣都可能代表著生病。你很容易就發火嗎？你大概也以爲你的寶寶在生氣。你自卑嗎？在你的眼裡，你寶寶哭泣也許表示她也覺得自己不好。再工作讓你有罪惡感嗎？當你回家，寶寶開始哭，你可能覺得他很想你。（請看104頁的圖表，找出寶寶哭的眞正理由。）

**提示：不要忘記問問自己：「我眞的注意到寶寶的需要嗎，或是只是反映了我自己的情緒？」**

你不太能夠忍受哭聲。有可能是因爲你腦海中的聲音，這正是珍妮絲的問題所在。讓我們面對它，寶寶哭泣的強度是可以去刺激的。我不認爲寶寶哭泣是不好的，可能因爲在我成人生涯裡總是跟嬰兒在一起，但是大多數父母，至少在一開始總對哭泣有負面的看法。每當我爲參加懷孕課程的準父母播放三分鐘的「嬰兒的哭泣」錄音帶時，我就會看到這個現象。一開始他們緊張地笑著，然後開始侷促不安地在座位上動來動去。到錄音帶快結束時，房間裡至少一半的人（通常是爸爸）表情非常明顯地不舒服，即使不是很明顯的心煩意亂。我總會問「寶寶哭了多久？」沒有人預估值會少於六分鐘。換句話說，當寶寶哭時，大多數的人會覺得有兩倍久的時間那麼長。

此外，有些父母對噪音忍受的程度比其他人低。他們的回應一開始只是單純的身體反應，接著心智也會陷入行動當中。哭聲刺破了成人的沈默，新手父母馬上就會思考「我的天啊！我不知道該做什麼。」無法忍受哭聲的父親常常要我「做些什麼」去抑止。媽媽也一樣，如果寶寶在早晨就暴躁不安，她們就會描述自己的生活「越來越糟」。

萊絲麗的兒子已經兩歲了，她向我坦承「現在容易多了，亞瑟已經可以說出他的需要。」我還記得萊絲麗剛當媽媽時，沒有辦法忍受寶寶哭，不只是因爲那吵鬧，他的眼淚讓她的心都碎了，因爲她覺得自己一定做錯了才會讓他這麼痛苦。我花了三週和她一起生活，說服她哭泣只是亞瑟的聲音表達而已。

順帶一提的是，不只是媽媽將寶寶攬在懷裡，希望他能安靜下來。我最近的客戶布萊德，每次只要新生兒史考特一哭，就會堅持讓他太太來照顧。不只是因爲布萊德忍受吵鬧的程度低，他也沒辦法處理他自己或太太的焦慮。他們兩個都是位居要權的經理人，他們的新生兒卻擊敗他們的自信。除此之外，他們兩個都深深相信，史考特哭是不好的。

提示：如果你對喧鬧很敏感，你該努力去接受它。這就是你現在的生活，你有寶寶，而寶寶會哭。事情不會永遠如此，你越快學會他的語言，他就越少哭，不過當然還是會。同時，不要認爲哭是不好的。你可以戴上耳機或聽隨身聽，雖然無法讓你聽不見寶寶哭，但是會讓聲音聽來小一點。在英國的朋友說：「我寧願聽莫札特而不是哭聲。」

有人對於寶寶的哭覺得很不好意思，我不得不說，這是很正常的，特別對女人而言非常困擾。有一次我在牙醫診所等候室裡待近廿五分鐘，就親眼目睹這件事。坐在我對面的是媽媽和約莫三、四個月大的嬰兒，我看著媽媽拿著玩具逗他，玩膩了就再換一個，他開始煩躁，媽媽趕緊又換上第三種，我發現寶寶注意力越來越不集中，我也看得出媽媽開始擔心將要發生的事，她的臉看起來像是在說「喔！不會吧！我知道接下來會發生什麼了。」她是對的，小男孩受不了，他的煩躁很快就轉爲疲累寶寶的特殊大哭。同時，媽媽看一下周圍，滿懷歉意地向等候室裡的每個人道歉。

我替她感到有些遺憾，所以我走過去，向她自我介紹並說：「親愛的，你不需要道歉，你的寶寶只是在說話而已，他在說：『媽媽，我只是個小寶寶，我的集中力有限，我想要休息了！』」

提示：外出時，帶個折疊式的嬰兒車或嬰兒搖籃是個不錯的主意，這樣手邊就有一個安全的地方，讓疲倦的寶寶睡覺。

下列是我要不斷重複的，所以我要求出版社將它印成粗體字，以便讓所有媽媽都可以看到（做幾個像這樣的標示牌，掛在屋裡所有的角落，車子裡、辦公室，也放一個在錢包裡）：

## 哭泣的寶寶不等於壞心的父母

同時也記住，你和寶寶是兩個獨立的個體——不要把她的哭泣當成是自己的。那跟你一點關係也沒有。

表達有困難。還記得你在第二章遇見的克蘿和席斯嗎？因為伊莎貝拉塞在產道裡，克蘿生產花了廿個小時。五個月後，克蘿多少還是覺得很對不起寶寶。真正的情形是，她把自己的失望轉移到伊莎貝拉身上。在她心裡，想像中在家生產並不會有什麼不妥。在其他媽媽的身上也觀察到這種滯留不去的悲傷及悔恨。她們沒有把注意力放在新生兒身上，她們被自己遺憾的情緒困住，因為實際發生的並不如所預期的。她們在心裡不斷重複播送這樣的畫面。她們感到罪惡並且覺得無助，特別是寶寶有問題時。由於她們沒有察覺自己的心理狀態，自然沒辦法去克服它。

提示：如果產後兩個月你發現自己還在心裡重複生產的景象，或是告訴任何願意傾聽的人這個故事時，試著用一種新的思維去看待、用一種新的說法去詮釋。不要將精神集中在「可憐的寶寶」，承認這是你自己的失望。

我遇過一個沒辦法順利生產的媽媽，我建議她和關係密切的親戚或好朋友聊一聊，可以幫助她改變她的想法。我告訴克蘿正視自己經驗的同時，也慫恿她讓那樣的情節過去：「我知道難為你了，你無法去修正或改變它，你得繼續往前看。」

## 讓你的觀察力變得敏銳：從頭到腳的指引

寶寶哭泣時會伴隨著一些姿勢、臉部表情、肢體語言。「閱讀」你的寶寶得用上所有感官——耳朵、眼睛、手指、鼻子——還有你的心，幫助你將事情拼湊起來。為了要協助父母在S.L.O.W.中的觀察，讓他們可以解讀寶寶的語言，我列了一張清單，從許多我認識、照顧的寶寶身上歸納出來的。除了他們的哭聲之外，我也記下當他們餓了、累了、很煩、很熱、很冷的時候的樣子。我想像要是影像沒有聲音，他們的臉部、身體會是什麼樣子，所以更進一步的去觀察。

下列是我想像中的影像，從頭到腳都描述了。他們都使用這樣的肢體語言在「說話」，一直到他們五、六個月大的時候，因為這時他們能將身體掌控的好點——例如，可能會吸吮手指讓自己平靜下來。當然，就算這個年齡之後，基本的溝通方式還是存在的。此外，如果你現在就開始，到那時你已經了解你的寶寶，更有可能去了解他的個人用語特徵（102頁）。

## 怎麼一回事？

為了讓你著手S.L.O.W.中的拼湊所有訊息，了解到底是怎麼回事，可以參考104頁，能幫助你診斷寶寶發出的聲音或動作。當然每個嬰兒都是獨一無二的，但是有許多通用的訊號可以告訴我們寶寶的需要。如果你用心，就能理解嬰兒的語言。

當然，我的工作令人感到喜悅的一面就是看到父母的成長，而不只是他們的寶寶而已。對某些父母而言，要學得這些技巧是比其他人困難的。大多數和我共事的父母們約兩週就學會解讀「嬰兒的話」，有些則需要一個月的時間。

雪莉。雪莉以為她女兒腹絞痛而跑來找我。但當談過之後，眞正問題浮現——並不是腹絞痛。當美琪發出一點點小小的聲音，雪莉就緊張得不得了，馬上抱起她——讓她含著乳頭。雪莉承認：「我不能讓她哭，我會生氣。我寧願她含著乳頭，也不要對她生氣。」我也聽見她的罪惡感，「我一定做錯了什麼，也許是我的母奶不夠好。」這致命的糟念頭讓雪莉很難暫停一下，傾聽和觀察。

為了讓雪莉了解是怎麼一回事，我要求雪莉先記錄日誌（80頁）。那樣她可以正確紀錄美琪的作息。我只要看兩天的紀錄就可以知道問題點在哪。美琪每廿五至四十五分鐘就進食，她所謂的腹絞痛是因為有太多乳糖，如果她實行E.A.S.Y.，按照正常的間隔餵食，問題大概就會解決了。

我解釋：「如果你不學習去分辨她不同的哭聲所代表的意義，妳的寶寶就會喪失告訴妳她的需求的能力，他們會開始只用大聲的哭泣來讓你『注意她』」。首先，我得教導雪莉如何分辨美琪不同的哭聲。幾次授課後，媽媽變的很興奮，因為她至少已經可以分辨其中兩種：餓了，是穩定的哇哇的節奏；還有太累了，是包含短暫的像是要從喉嚨後咳出來的樣子，還會伴隨著蠕動以及背會弓起來。如果當時雪莉沒有幫助美琪入睡，煩躁就會變成嚎啕大哭。

就像我稍早提過的，你自己的情緒騷動也可能會那樣演變，就像雪莉一樣。她越來越精通S.L.O.W.，我也看到她的技巧持續的進步。最重要的是，她的察覺幫助她了解小美琪是一個獨立的個體，有她自己的情緒和需求。

梅西顯然是我的明星子弟之一，在她學會如何和寶寶互動後，就成爲一位改革者。她一開始會打電話找我是因爲她的胸部很痛，而她的兒子看來像是個乖僻的進食者。

我們初次見面時，她非常堅持「狄倫只有餓了才會哭」，當她解釋他每個小時就「肚子餓」時，我知道她還不會分辨狄倫的哭聲。我馬上幫助她理解，得讓她三週大的兒子建立慣例，讓他有可預期的一天，沒有什麼意外，對她而言也是一樣。我一整個下午都陪著她。直到狄倫開始發出小小的、像咳嗽的哭聲。梅西說道：「他餓了。」她說的沒錯，寶寶乖乖吸奶，但是過了幾分鐘，他就睡著了。

我哄他「讓他慢慢醒過來」。她看著我，好像我在折磨狄倫一樣。我教導她去撫摸他的雙頰（在116頁）有更多技巧教你如何喚醒在吃飯中想睡的寶寶），狄倫又開始吸吮，足足吸了十五分鐘，還打了個嗝。然後我放他在毯子上，在他面前放一些彩色的玩具，他又開心地玩了十五分鐘，又開始煩躁。他不是在哭，比較像是在抱怨。

梅西說：「看，他一定又餓了。」我解釋說：「親愛的，不是這樣，他只是累了。」

然後我們把他放到床上。兩天的時間，狄倫已經貫徹E.A.S.Y.，每三個小時進食一次。梅西是個新女性，重點在於她告訴我「我覺得我好像學習了一種新的外語，它富含了聲音和動作。」她甚至開始勸告其他媽媽：「你的寶寶哭不是只因爲餓了，」她告訴新生兒團隊裡的一位媽媽說：「你得停一下，聽聽看他在說些什麼。」

## 讓自己保持寶寶的步調

沒錯，所有事都需要練習，一旦你在心裡謹記這個靈活的方法，你將會對以不同的方式來回應寶寶感到非常神奇。S.L.O.W.也會改變你的觀點。它讓你以一個獨立的個體來看待寶寶，傾聽他與眾不同的聲音。提醒你，只要幾秒鐘就可以運用這個策略，在這幾秒鐘裡，你將成爲你寶寶所希望擁有的最棒的父母。當你了解寶寶所說的，並且準備好做出回應時，S.L.O.W.還是提醒你：慢慢的、溫柔的出現在寶寶面前。

爲了強調這個重點，我在新的課堂上都會做這個示範：我要求每個人躺在地上。一句話也不說地走近某人，抬起他的腳，扶起他，擠在別人的頭上。大家都笑出來，然後我會解釋這個動作：「你的寶寶就是這樣感覺。」

我們絕不能以爲，我們不自我介紹就接近寶寶，或是沒有任何警告就做某事對寶寶而言是沒關係的。然而，我們對寶寶就是如此。這是很不尊重的。所以當寶寶哭了，你知道因爲尿布濕了他不舒服，要幫他換，告訴他你要做的事，讓他知道，當你完成時，再跟他說「我希望這樣能讓你舒服一點。」

下面四章，對於餵食、換尿布、洗澡、玩耍、和睡覺，我會說明得更詳細。但是不管你正在爲他做些什麼，請慢慢來。

# 寶寶的語言

| | 肢體語言 | 表達的意思 |
| --- | --- | --- |
| 頭 | ↓在兩側翻轉 | ↓累了 |
| | ↓將頭轉離標的物 | ↓需要換個地方 |
| | ↓側向一邊，把脖子往後伸（嘴巴開開的） | ↓餓了 |
| | ↓如果是立姿，不斷點頭，就像人在車上睡著了一樣 | ↓累了 |
| 眼睛 | ↓紅紅的，充血 | ↓累了 |
| | ↓慢慢閉上，又一下子張開；又慢慢閉上，一下子又張開——反覆這些動作 | ↓累了 |
| | ↓「目不轉睛」——眼睛張開，眨都不眨，好像被牙籤撐起來一樣 | ↓過度疲累；過度刺激 |
| 嘴巴／嘴唇／舌頭 | ↓打哈欠 | ↓累了 |
| | ↓嘴唇噘起 | ↓餓了 |
| | △看起來像在尖叫，可是沒有發出聲音；最後，倒抽一口氣，大聲地哭起來 | ↓脹氣或其他疼痛 |
| | ↓下唇抖動 | ↓冷 |
| | ↓捲入舌頭 | ↓自我撫慰，有時會誤以為是餓了 |
| | ↓把舌頭捲向一邊 | ↓餓了——典型的「基本」姿勢 |
| | △把舌頭向上捲，像隻小蜥蜴，但是沒有吸吮 | ↓脹氣或其他疼痛 |

| 部位 | 動作 | 意義 |
| --- | --- | --- |
| 臉 | △扮鬼臉，通常皺在一起，像是在咀嚼太妃糖一樣；如果是躺著，可能也會噴氣，轉動眼睛，好像是在笑<br>↓紅紅的，太陽穴的血管很明顯 | ↓脹氣或其他疼痛；或是便便了<br>↓因為哭的太久，抑制了呼吸的關係所導致；血管擴張 |
| 手／雙臂 | ↓手伸到嘴裡想要吸吮<br>↓玩弄手指<br>△拍打，非常不協調，可能會抓皮膚<br>△揮舞手臂，有一點興奮 | ↓如果在兩個半到三個小時之內還沒吃東西的話，就是餓了；不然，就是需要吸吮<br>↓需要換個地點<br>↓太累了；或是脹氣<br>↓脹氣或其他疼痛 |
| 軀幹 | ↓背部弓起來，在找乳房或奶瓶<br>↓蠕動，下半部翻來翻去<br>△變的很僵硬 | ↓餓了<br>↓尿布濕了或是會冷；也有可能是脹氣<br>↓脹氣或其他疼痛<br>↓會冷 |
| | | …熱了，或是哭的太久，身體排出熱氣跟精力<br>…哭得太久；當身 |

| | | | |
|---|---|---|---|
| | ……一哭再哭——如果不理他，最後也會睡著。 | ……她會蠕動，想要掙脫。如果他繼續哭，臉可能會紅通通的。 | 是有人一直對著寶寶低語……後。蠕動通常會被誤解為腹絞痛。 |
| 過度刺激 | 哭得很大聲、很久，跟太累的哭聲有點類似 | 手腳四處揮舞，頭轉離光亮處；任何人想跟他玩，都會將頭別開 | 通常發生在她已經玩夠了，或是大人不斷的逗弄他時 |
| 想換個地方 | 暴躁不安，發出小小的惱人的聲音，而不是哭出來 | 對眼前的物體會調過頭去；玩自己的手指 | 如果換地方後反而更糟，那可能是累了、需要休息 |
| 不舒服脹氣 | 明顯的尖叫，無預警地伴隨高音調地放聲大哭；在哭當中，可能會停一下以便呼吸，接著又繼續哭 | 整個身體都很緊繃，變的僵硬，循環不順，因為脹氣沒有排掉；把膝蓋伸向胸部，臉皺在一起，感覺痛苦，舌頭往上伸，像蜥蜴一樣 | 所有的新生兒吞入空氣都可能導致胃脹氣。一整天都會聽到吱吱聲，好像喉嚨抽搐的聲音——那就是空氣的吞嚥。脹氣也可能是導因於不尋常的餵食方式 |

生氣——參考「過度刺激」和「疲倦」。寶寶並不是真的在「生氣」——那是大人的反射。他們只是沒有被正確的解讀。

| | | | |
|---|---|---|---|
| 餓了 | 小小的咳嗽，像是從喉嚨後方發出來的；然後開始哭。開始會很短暫，接著很穩定的：哇哇哇哇哇 | 寶寶開始靈巧的舔她的唇，然後「固定在那」——舌頭伸出來，頭轉向一邊，把拳頭伸進嘴巴 | 最好辨別飢餓的方式就是記得他上次進食的時間如果他實行E.A.S.Y.，就可以少一點猜測。（關於進食可以看第四章） |
| 太冷 | 放聲大哭且下唇會顫動 | 皮膚上有小小的凸起；可能會發抖；四肢會很冷（手、腳、鼻子）；皮膚有時會有藍藍的痕跡 | 可能會發生在新生兒剛洗完澡，或是你在幫他換衣服與穿衣服時 |
| 太熱 | 挑剔的嗚嗚聲，像是在噴氣，開始會小小聲約五分鐘；如果還是沒人理，最後會放聲大哭 | 很熱、滿身是汗；激動；以噴氣代替一般的呼吸；寶寶的臉或上半身可能有紅紅的小點 | 和發燒的哭泣不同，比較像痛苦的哭泣；皮膚很乾，不會黏黏的。（量一下寶寶的體溫確定一下） |
| 「你要去哪裡？我要抱抱。」 | 發出咕咕聲，突然像小貓一樣的哇；一被抱起就不哭了 | 四處張望，試著找你 | 如果你馬上就能懂，不一定得抱他。可以拍拍他的背，溫柔地說些讓他放心的話，這樣可以培養他的獨立性 |
| 餵太多 | 煩惱，餐後甚至會哭 | 常常流口水 | 通常發生在將想睡和過度刺激誤解為肚子餓 |
| 便便 | 餵食時會發哼聲或哭 | 蠕動、推擠；停止進食；便便了 | 可能會誤解為肚子餓；媽媽通常會以為自己「做錯了什麼」 |

Part 4

# 到底是誰肚子餓？

當護士告訴你寶寶餓了，這將成為你最大的弱點。感謝上帝，我有看過書，也上了課。

——一位寶寶三週大的媽媽如是說

先讓我填飽肚子，再跟我講道德。

——布列希特（Bertolt Brecht）

## 媽媽的困境

人類存活最重要的就是就是進食。成人有許多選擇，不管我們決定何種飲食，總會有人對此有意見。舉例來說，我可以找到一百個反對高蛋白的素食主義者，卻也可以舉出另一百個支持高蛋白的人群。誰才是對的呢？根本不重要。不管專家如何告訴我們，我們得自己決定採取何種飲食。

媽媽決定如何哺育寶寶時也面對類似的困境。時下爭論到底母奶和奶粉哪種較好，情況已經因爲大量的宣傳活動而惡化了。顯然的，書上有關餵母奶的資訊，以及在網站上由國際哺育母乳協會或美國大眾健康部門所提倡的，都是主張應該哺育母奶；但是你一樣可以在網路上看到奶粉廠商大力提倡以奶粉來餵食。讓我們想想看，如果你買的是一本給美食家的手冊，很難會在裡頭找到教新手使用攪拌器的基本資訊。

新手媽媽們到底該怎麼做呢？試著保持客觀，最後決定哪種才是最適合自己的。把所有意見都納入考量，但是要當心是向誰做哪些諮詢，注意到底被「推銷」哪些特定資源。對於朋友的說法，聆聽他們的經驗，不要放太多注意力在那些悲慘的故事上。無可否認，餵母奶有些營養不良的例子，就像有些奶粉被污染一樣，不過這些都是特殊案例。

這個章節會提供資訊來幫助你更清楚選擇——不是一般哺育母乳的書以專門技巧和統計數據不斷轟炸。希望你好好利用我所提供的資訊以及常識，最重要的是，相信你的直覺。

## 正確的決定/錯誤的理由?

讓我最難過的是，許多媽媽總是搞混了「最好的」與「最適合的」，有時候因爲錯誤的理由而下決定，事情又再度發生。在新生兒出生後，我被找去做哺育母乳的訓練，發現媽媽強迫自己餵母奶，如果不是因爲她先生或家人催促她這樣做，就是因爲她擔心在朋友面前沒面子，再不然就是她讀到或聽到什麼，被這些訊息給說服而沒有其他選擇。

舉菈菈的例子來說，因爲一開始就很不順利，所以打電話給我。因爲傑森沒有被正確解讀，所以不管菈菈何時餵他，他都會大哭。她的產後期非常糟糕，因爲她是剖腹產，不只乳汁分泌很少，而且傷口很痛，同時，她先生迪恩也感到無助、不知所措——男人有這樣的感覺並不是件好事。

當然，週遭的人給了很多意見。順道拜訪的朋友也會給他們餵母奶的建議。其中一個朋友更是誇張，你也知道這種人：如果你產後頭痛，她會告訴你她有偏頭痛；如果你的乳頭因爲餵母奶受傷，她會說她因此乳頭受到感染。這些說法的確讓菈菈舒服不少。

菈菈的母親是個很嚴苛的女人，她告訴小女兒菈菈要「熬過去」——畢竟，菈菈不是第一個餵母奶的女人。她姊姊也不表同情，還堅稱她沒有這方面的困擾，菈菈的爸爸也不見蹤影，她媽媽卻自顧自地嚷嚷爸爸因爲女兒在受苦卻無法撥空前來而感到沮喪。觀察這樣的互動幾分鐘後，我禮貌地要求每個人離開，鼓勵菈菈告訴我她的感受。

她說著說著就淚如雨下，「崔西，我沒辦法這樣做。」她坦白說道。「餵母奶太辛苦了。」在懷孕期間，她曾經想像寶寶溫順地在她懷裡吸奶，她對寶寶的愛就像乳汁分泌一樣源源不絕，可是實際的情形和所想像的母子圖相去太遠，現在她覺得有罪惡感又害怕。

我告訴她：「沒關係，的確是很辛苦，但是我會幫助你讓你克服這一切。」莅莅虛弱地笑了一下。爲了讓她安心，我告訴她很多人都有這樣的經歷。就像莅莅一樣，很多女人都不了解餵母奶是需要學習的技能，需要準備措施和練習。也不是每一個人都可以或應該這樣做。

## 做決定

首先，餵母奶是比多數媽媽想像中還要辛苦的事。其次，它並不適合每個人。就像我對莅莅說的「這不只是要滿足寶寶的需求，也要滿足你自己的。」當人們對不想餵母奶的媽媽或是尙未花時間精神去比較兩種方法的媽媽施加壓力時，不會有快樂的結果。

重點在於，我們可以有所選擇。不管是餵奶粉或母奶都可以有好的結果，這得視個人情況而定。除此之外，這不僅僅是生理的決定，也是情感上的選擇。我鼓勵女人要去了解這其中的牽扯和利害關係——爲了寶寶，也爲了自己。我建議去上一堂實際了解哺育母乳的課程。找個餵母奶的媽媽，聽聽她的說法。請教小兒科醫生，或聯絡助產士。還要記得，通常小兒科醫生也會傾向某種哺育方式。所

### 決定如何哺育寶寶

◎探究餵奶粉和餵母奶的不同點。
◎具邏輯的思維以及考量自己的生活方式。
◎了解自己的耐心程度、在公共場所餵母奶的感受、你的胸部和乳頭的感覺，還有其他會影響你觀點的先入為主的想法。
◎要記得，你可以改變想法，也可以決定怎麼做。

以，最好是看過幾個小兒科醫生，在尚未決定前不要輕易做出選擇。例如在洛杉磯，我就認識好幾位不滿用奶粉哺育的醫生，有些甚至不餵母奶他就不看診的。選擇用奶粉的媽媽可能會對這種醫生感到不舒服。相對的，如果決定要餵母奶，可是醫生對此又不甚了解的話，同樣也不會得到很好的服務。

許多照料嬰兒的書，都列出用奶粉或是母奶的優缺點，但是我試著用另一種角度來看待這件事。這個決定得背負很大的責任，看來就像是公然挑戰合理方式似的。因此，我會告訴你我對不同哺育方式的想法，列出應該要思考的地方。

**媽媽／小孩的特別關係**。提倡餵母奶的人以「特別關係」來做爲親自餵母奶的理由。我承認當寶寶在吸奶時，女性會感受到一種特別的親密，但是媽媽對喝奶粉的寶寶一樣覺得很親密。除此之外，我不認爲這可用來加強母子之間的關係。眞正的親密存在於你了解你的寶寶的時候。

**嬰兒的健康**。有很多研究大聲疾呼嬰兒喝母奶的好處（媽媽必須身體健康且哺育得當）。事實上，母乳一般存在許多小噬細胞，它可以殺死細菌、眞菌、病毒，以及其他的營養成分。母乳提倡者會列出喝母奶可以預防的特殊疾病，包括了耳道感染、鏈球菌性喉炎、胃腸的問題、上呼吸道的疾病等。我絕對同意母奶對嬰兒是很好的，但是不應該太過入迷。

常被引用的研究發現顯示的是統計上的或然率，有時吃母奶的寶寶也會得到那些疾病。而且，母奶所含有的成分，也會因爲不同時期、不同的人而有顯著差異。何況現今的奶粉比以前的精緻，而且富含許多營養。雖然奶粉無法提供給嬰兒自然的免疫力，但絕對提供嬰兒成長茁壯所需要的營養。

**媽媽的產後復原**。生產過後，親自餵母奶對媽媽也有許多好處。一種賀爾蒙——催產素會加速胎盤的分離，壓縮子宮的血管，讓血的流失減到最低。當媽媽持續餵母奶，會不斷釋放此種賀爾蒙，可以讓子宮較快恢復。另一個好處是媽媽在產後體重可以快速回復，因爲製造乳汁消耗掉卡路里。相對的，親自餵母奶的媽媽就得維持額外三到五公斤的體重，這是爲了保證寶寶有足夠的營養。如果喝奶粉，就沒有這麼多的顧慮。不管如何哺育寶寶，媽媽的乳房都會疼痛和敏感。讓寶寶喝奶粉的媽媽，在乳汁慢慢乾涸時，會經歷一段苦痛期；親自餵母奶的媽媽也會碰到其他的問題（131頁）。

**媽媽的長期健康**。是研究建議而不是證明，親自餵母奶可以讓媽媽預防更年期前的乳癌、骨質疏鬆症及卵巢癌。

**媽媽的身材**。生完寶寶後，媽媽常說想要恢復身材。這不僅是減重的問題而已，而是身材曲線的恢復。哺育母奶讓一些人覺得她們得「放棄」身材。當然，親自餵母奶的確讓女人的胸部和懷孕前大不相同。親自餵母奶時，爲了讓胸部更有效率地分泌乳汁，生理變化是不可避免的：導管開始滿佈乳汁，當寶寶含住時，輸送乳汁的靜脈竇會脈動，告訴大腦維持穩定供應乳汁。一些乳頭平坦的媽媽在餵母奶後可能會變得「乳頭凹陷」。雖然停止餵母奶後胸部又會改變，但是不可能回復以前的樣子。胸部小的女人餵母奶後胸部可能會像薄餅一樣，胸部大的女人則可能會下垂。因此，對非常注重身材的女性而言，也許餵母奶不是最好的，當她做了這樣的決定，可能會聽到別人說她「自私」，但是別人有什麼資格說她讓她感到有罪惡感？

另外一個因素是情緒上也是生理上的觀點，就是把乳頭放進寶寶嘴裡是否舒適。有些人不喜歡撫摸甚至握住胸部，也可能不喜歡乳頭被刺激。如果有這樣的困擾，餵母奶就很有可能會有問題。

**困難處**。雖然餵母奶看來「天經地義」，這個技巧卻是需要學習的——比起讓寶寶就著奶瓶，在一開始的確是難多了。媽媽要學會餵母奶這門藝術是很重要的，甚至要在嬰兒誕生之前就得開始學。

**便利性**。我們聽過許多關於親自餵母奶的便利性。在某個程度上，事實的確如此，特別是在三更半夜時。當小傢伙哭了，媽媽只要露出一只乳房即可。如果媽媽直接餵母奶，就沒有奶瓶或是奶嘴需要消毒了。然而，也有媽媽會唧出母奶，她們就得花時間去擠壓還有處理奶瓶。當然，在自己的勢力範圍內，餵母奶是很便利的，可是工作時，許多女性覺得很難挪出時間和空間去唧出母奶。還有一點，母奶的溫度永遠恰到好處。但是有件事你可能不知道：奶粉不用保持一定溫度，以這個觀點來看，它的便利性並不輸母奶。不過兩者都需要小心保存。

**成本**。平均而言，在第一年寶寶需要大約四百三十公升的食物——一天一點二公升（當然新生兒的食量就是這麼少）。餵母奶肯定是最經濟的選擇，因為是免費的。儘管你得花費在哺乳諮詢、哺乳課程、各樣配件，但也只有喝奶粉一半的預算而已。

**另一半的角色**。當媽媽在餵母奶時，有些爸爸覺得被遺棄了，但是女性不得不這麼選擇。事實上，大多數媽媽希望另一半也能參與，的確也該如此。參與是激勵、關注的考

**哺育的風氣**

現在流行餵母奶，但是這並不表示奶粉「不好」。事實上，在大戰後的幾十年，大多數人都認為奶粉對嬰兒是最好的，只有大約三分之一的媽媽餵母奶。今日，則約有六〇%的媽媽餵母奶，雖然不到一半的人在六個月後仍繼續餵母奶。誰知道？當這本書出版時，科學家也許正著手基因試驗，讓牛也可以製造人奶，如果成真了，也許未來每個人都會兜售牛奶。

事實上，營養期刊（Journal of Nutrition）在一九九九年有一篇文章建議「也許最後會設計出一種奶粉可以比母奶更能滿足個別嬰兒的需要。」

量，比哺育方式來的重要。不管媽媽決定餵母奶還是讓寶寶喝奶粉，只要媽媽願意唧出母奶，另一半都能參與其中。不管哪種哺育方式，爸爸的協助都能讓媽媽可以得到必要的休息。

給爸爸的話：也許你希望太太可以親自餵母奶，因爲你的媽媽或是姊妹這樣做，或是因爲你認爲那是最好的方式。也有可能你不希望她那樣做。不管是哪種方式，你太太是獨立的個體，她有自己的選擇權。她不會因爲親自餵母奶而少愛你一點；也不會因爲不餵母奶而成爲壞媽媽。我不是在說你們不應該討論彼此的看法，但是最終，這是她得自己決定的事。

嬰兒的禁忌。照慣例會爲新生兒做的各種的疾病檢測，由於這些新陳代謝的審查結果，你的小兒科醫生可能會建議不要餵母奶。事實上，某些案例中，一些特定的不含乳糖奶粉是一種必須的治療。同樣的，如果嬰兒的黃疸指數很高（導因於過剩的膽紅素，因爲肝臟功能失調，會產生一些淡黃色的物質），有些醫院會堅持一定得喝奶粉。有媽媽告訴我，由於飲用特定的奶粉，寶寶起疹子或是脹氣，但是喝母奶的寶寶一樣也會有這些問題。

媽媽的禁忌。有些媽媽不能親自餵母奶，可能因爲胸部動過手術，或是有感染，例如愛滋病，不然就是有服藥，像是鋰或其他鎮定劑。雖然有研究指出一些生理因素像是胸部的大小、乳頭的形狀是不相關的，有些媽媽在分泌大量母奶及讓寶寶好好吸奶這方面，的確比其他人來的辛苦。大多數這類的問題是可以被妥善處裡的，不過有些媽媽沒有耐性堅持下去。

眾所周知的，讓嬰兒喝些母奶是很好的，特別是在第一個月，如果選擇不是如此，或是因爲某些理由媽媽無法餵母奶，喝奶粉絕對是另一個完美的決定。有些女性可能覺得沒時間餵母奶，或是餵母奶這個見解並不吸引她。特別是寶寶不是第一個時，她會擔心餵母奶的景象破壞家庭原有的均衡——可能哥哥或姊姊看到會覺得嫉妒。

不管情況如何，當女性不想親自餵母奶，我們需要去支持她，不要去累積她的罪惡感，也要停止把義務這個詞和餵母乳連結在一起，不管是哪種哺育方式，都是承擔義務。

## 從今以後快樂地哺育

好的開始是成功的一半。在家裡特別設置一個地方哺育是很重要的，像育嬰室或是其他遠離騷動的安靜角落，讓這個空間成爲單純哺育的場所。當把寶寶抱在懷裡，他嘴裡含著奶瓶或是吸奶時，不要在附近講電話或是聊天。哺育是一種互動的過程，你也得專心才行。這是讓你和寶寶互相了解的大好時機。當嬰兒越長越大，就越容易被聽覺或視覺分散注意力，可能會打斷進食。

媽媽們常問：「我在餵他時，可以跟他說話嗎？」當然可以，但是用較爲溫柔的表達方式，想想燭光晚餐上的對談，用低低的聲音，沒有任何唐突，以鼓勵的語氣：「乖，再吃一點，你需要再多吃

**如果你動過胸部手術……**

◎如果它是重建或是縮減，找出外科醫生的手術傷口是通過乳頭還是在胸骨之後。假使輸送乳汁的導管仍健全，你透過一些哺乳器材的協助，寶寶仍然可以吸吮，她可以同時吸吮乳頭和輸送軟管。

◎找一個餵母奶顧問，能夠指導你寶寶如何正確吸吮，必要的話，也教導你如何使用餵母奶器材。

◎每週替寶寶秤重，至少持續六週，以確定他以適當的速度在增加體重。

一點。」我經常以柔柔的口吻發出咕咕聲或是撫摸寶寶的頭。這些方式不只是在和寶寶互動，部分原因也是爲了讓寶寶保持清醒。

提示：當寶寶在餵食時打盹的話，要讓她重新吸吮，可以試試這些策略：用你的大拇指，溫柔的在她的手掌畫圓圈；輕撫她的背部或腋下；讓你的手指沿著她的脊椎上下遊走。千萬不要在她的前額放濕毛巾讓她清醒，或是踢踢她的腳做暗示，這會像我在桌底下踢你的腳對你說：「你還沒吃完盤子裡的食物，所以我踢踢你的腳，提醒你繼續進食。」如果這些方法都不奏效，我會讓寶寶待半小時，讓她入睡。如果寶寶總在進食時睡著，又很難叫醒他，問問小兒科醫生的意見。

我在第二章已經說明得很清楚，不管媽媽選擇何種方式哺育，我堅決反對有求必應、一哭就餵的方式。這樣除了養成一個需索無度的寶寶外，通常父母也無法辨識寶寶不同的哭泣，哭了就解讀爲餓了。這是爲什麼有一堆過度餵食的寶寶，卻常常被誤以爲是「腹絞痛」。相對來說，如果你讓寶寶實行E.A.S.Y.慣例，兩個半至三個小時餵母奶一次，或是三至四小時喝一次奶粉的話，你就會知道這期間的哭泣是有其他理由的。

接下來的段落，我將詳細說明不同的哺育方式的特色：餵母奶、喝奶粉或綜合兩者的方式。但是，不管你選擇什麼方式，這裡有一些共同的課題。

**哺育的姿勢**。不管你讓寶寶吸母奶還是喝奶瓶，得讓寶寶舒適地依偎在你臂彎裡，可以輕鬆靠著你的胸部（除非你用奶瓶餵），將頭輕輕抬起，身體成一直線，不用伸長脖子就能咬住乳頭或是奶瓶。寶寶內側的小手臂可以舒適地放在自己身邊或環繞著你。小心不要讓寶寶的頭傾斜而低於他的身體，這樣吞嚥會有困難。如果寶寶是喝奶瓶，應該正面朝上仰躺；如果是吸母奶，寶寶要貼近你，臉朝著你的乳頭的方向。

**打嗝**。所有寶寶都會打嗝，有時是在進食後，有時是在小憩過後。因爲吃太飽或太快，就像成人狼吞虎嚥時也會發生的情形。橫膈膜律動的節奏亂了。你能做的不多，只要記得打嗝很快就會結束。

**打飽嗝**。不管吸母奶還是喝奶瓶，寶寶都會吞嚥空氣。你常常可以聽到——小小的抽氣聲或哽塞聲。空氣在寶寶的胃裡像個小泡泡似的，有時候會讓寶寶誤以爲已經吃飽了，這也就是爲什麼你得協助他打嗝。因爲寶寶躺著也會吞嚥空氣，所以我喜歡在餵寶寶前先讓他打嗝，等餵食完畢，再讓他打飽嗝一次。或是寶寶吃到一半看來有些煩惱，常常是因爲吃進了空氣，果眞如此的話，餵食一半時幫他打嗝也是很適當的。

幫寶寶打嗝有兩種方式。一種是讓寶寶立在你的膝上，一邊用手撐著她的下巴，一邊溫柔的輕撫她的背部；另一種方

## 進食的概況

性格會影響嬰兒的進食方式。天使型嬰兒和教科書型嬰兒是很好的進食者，活潑嬰兒也是。

敏感型嬰兒會覺得洩氣，特別是在進食時。這些嬰兒寶寶彈性很小。如果你採取某種方式餵敏感嬰兒，以後都得如此。餵他時講話不能太大聲、改變姿勢、或是換房間。

性情乖戾型嬰兒很沒耐性。如果你哺育母乳，他們不喜歡等待乳汁流下，有時會用力拉扯媽媽的乳頭。只要有自動流洩的奶嘴，通常使用奶瓶都會相安無事。

式，也是我個人比較偏好的，扶著寶寶的手臂，讓她放鬆地恰巧靠在你的肩膀上，腳得直直垂著，給一條通道讓空氣可以出來。用你的左手、約在寶寶胃的高度的地方，溫柔地往上輕撫。（如果拍的位置低一點會是她的臀。）有些寶寶只要輕撫就可以，有些則還需要輕輕拍打。

如果你這樣輕撫、拍打了五分鐘，寶寶還是沒有打嗝的話，你可以非常確定寶寶的胃裡沒有空氣泡泡。如果你讓寶寶躺下，他卻開始扭動不安，慢慢抱他起來——接著他將會打一個大嗝。有時候空氣泡泡已經不在胃裡，而旅行到腸子裡去了，這會讓寶寶很不舒服，你知道寶寶這時會將腳伸往胃的方向，開始哭，全身緊繃僵硬。有時候你會聽到寶寶放屁，他的身體就會放鬆了。

**攝取並增加體重**。不管用哪種哺育方式，新手媽媽總是擔心「這樣吃夠嗎？」媽媽可以看到喝奶瓶的寶寶吃下什麼；餵母乳的媽媽在鬆弛後常伴隨著刺痛的感覺，所以至少她們知道有分泌乳汁了，但是萬一沒有這樣的感覺，我總是告訴她們「你可以看到寶寶在吸吮，能夠聽見他吞嚥的聲音。」選擇餵母乳卻又會擔心的媽媽，也可以將母奶唧出，就像我在125頁所建議的。不管哪一種方式，如果寶寶在進食後顯得很滿足的話，這就是告訴你他吃的剛剛好。

我也會提醒父母「有東西進去就會有東西出來。」寶寶在一天之內大概會弄濕六至九片尿布。尿液大概是淡黃色甚至透明的。也會有二到五次的排便，原則上像是芥末色，會介於黃色到褐色之間。

提示：如果你使用拋棄式尿布，它會吸收尿液，你很難去分辨寶寶何時尿尿、是什麼顏色，特別是在頭十天，在寶寶的尿布上放一張面紙，看看是不是有尿液、頻率如何。

雖然新生兒在剛出生的幾天體重會比出生時少一〇%左右，要知道有沒有吸收最好的指標就是體重增加與否。在子宮裡，胎盤會供給嬰兒養分，現在他們得學習自己攝取養分，開始一點一點攝取。然而，大多足月的嬰兒，如果提供足夠的液體和卡路里，大約七至十天大時，就會回復出生時的體重，有些嬰兒需要多一點的時間，但是如果兩週都還沒回復出生時的重量，必須去看小兒科醫生。如果三週嬰兒尚未回復到出生時的重量，臨床上通常診斷爲「無法存活」的嬰兒。低於三公斤的嬰兒，是無法承受失去一〇%的體重的。這樣的情形，會先讓嬰兒喝奶粉，直到有母奶可以喝。

正常的體重增加大約是每週一百廿五公克至二百廿公克。在你開始煩惱寶寶的體重前，先記住喝母奶的嬰兒比起喝奶粉的嬰兒較瘦，體重增加的速度比較慢。有些緊張的媽媽會買體重計。其實只要你會定時拜訪小兒科醫生，在第一個月一週秤一次重就可以了，之後一個月秤一次就行了。如果你有體重計，記得體重每天都會有所變化，量的次數不用太多，四、五天量一次就夠了。

## 哺育母乳的基本原則

有些書整本都在講餵母奶，如果你已經決定要採取這個方式，我敢打賭，現在你的書架上已經有好多本餵母奶的書了。不管你已經學會哪些技巧，關鍵在於耐心與練習。讀書、上課、參加支持哺育母奶的團體。除了了解身體如何製造乳汁之外，還有一些地方是我認爲很重要的。

懷孕時就練習。餵母奶最大通常也是唯一的問題，就是寶寶沒有適當的含住。在預產期前的四至六週，我會跟準媽媽們碰面，以預防這個問題。我向她們解釋乳房如何運作，以及讓她們看如何將兩個小圓彈性綳帶放在胸部上，約在乳頭上下方二點五公分的地方，就是她們餵母奶時托住胸部的最佳位置。這讓她們習慣適當的去放置手指。自己試試看練習一下。

記得，寶寶不是從乳頭去吸乳汁，乳汁是因爲寶寶吸吮刺激而產生。刺激越多，乳汁就越多。因此，正確的姿勢和正確的含住是成功的不二法門。掌握這兩個竅門，餵母奶就很「自然」了。如果寶寶的姿勢不對、又沒有正確含住去刺激，靜脈竇就沒辦法對大腦發訊息，餵母奶所需要的賀爾蒙也就無法分泌。就不會有乳汁，媽媽和寶寶都會很痛苦。

提示：要正確含住，寶寶的唇得蓋住乳頭和乳暈。正確的姿勢則是寶寶的脖子微微一伸，她的鼻子和下巴就能碰觸到你的胸部。這樣的距離，你就不用托著你的胸部，以免會擋到她的呼吸。如果你的胸部較大，在胸部下方墊一個枕頭撐著。

盡可能在嬰兒一出生就初次餵母奶。初次餵母奶是很重要的，但是理由可能和你想的不同。你的寶寶不是眞的餓了，但是初次餵母奶會在他腦海裡烙印下如何正確吸奶的印象。可能的話，有個護士、哺奶顧問、好朋友或媽媽（如果

## 你的乳房如何製造乳汁

生完寶寶後，大腦會馬上分泌泌乳素，這是一種開始持續製造乳汁的賀爾蒙。每當寶寶吸奶時，泌乳素和催產素就會開始分泌。乳暈或是乳頭周圍比較深色的地方，不平的表面讓寶寶可以容易就找到，也很柔軟，允許寶寶輕輕的擠壓。當寶寶吸吮時，輸送乳汁的靜脈竇——乳暈隆起的地方，會發送訊號到大腦：製造乳汁！當寶寶吸吮時，輸送乳汁的靜脈竇會脈動，讓輸送乳汁的導管動起來，連接胸部裡儲藏乳汁的小蜂窩流通到乳頭去。溫柔的擠壓就像幫浦一樣，讓乳汁從蜂窩流到導管最後到達乳頭，像一個漏斗，流到寶寶的嘴裡去。

她也曾經餵母奶）進來產房幫你進行第一次的餵母奶。如果是自然生產，我會試著在當時就在產房裡對寶寶餵母奶。你拖得越久，就會越困難。在開始的一、兩個小時寶寶是最靈活的。過了兩、三天後，她會經歷一連串的衝擊——她吃飯、睡覺可能都不太規則。然而，如果是剖腹產，在產後的三個小時甚至更久一點，都不適宜第一次餵食，因爲爸爸、媽媽都精疲力竭。這樣的情形，得花更多時間與耐性才能正確哺育。我不建議父母在這時叫醒寶寶去餵食，除非體重太輕，低於二千五百公克。

在頭兩天或三天，會分泌初乳——稠稠的、黃黃的，含有豐富的蛋白質。這個期間，當你的乳汁幾乎是純粹的初乳時，每十五分鐘就換邊餵。開始製造乳汁時，就開始單邊餵食（參考左列表格）。

## 前四天的哺乳

當嬰兒出生重量有三千公克或更重，我通常會給媽媽這張表，指導剛開始的幾次如何餵母奶。

| | 左乳 | 右乳 |
|---|---|---|
| 第一天：整天都餵，只要寶寶有需要就餵 | 五分鐘 | 五分鐘 |
| 第二天：每兩個小時餵一次 | 十分鐘 | 十分鐘 |
| 第三天：每兩個半小時餵一次 | 十五分鐘 | 十五分鐘 |
| 第四天：開始單邊餵奶以及實施E.A.S.Y.慣例 | 最多四十分鐘，兩個半到三個小時一次，換邊輪流餵 | |

了解自己的乳汁以及胸部如何製造它。噹噹看，如果你儲藏母乳，這樣你就知道有沒有酸掉。注意你的胸部飽滿時的感覺。當乳汁流出來通常會有點刺痛，可以感覺那種湧出的感覺。有些媽媽鬆弛得很快，反應乳汁排出的快速，寶寶得在餵食的前幾分鐘氣急敗壞地快喝，要讓流出的速度慢一點，可以將手指壓在乳頭上，就像壓住傷口防止它流血一樣的道理。如果感覺不到乳汁的流洩，不要大驚小怪，每個女人的敏感度本來就不同。當媽媽的流出速度較慢，寶寶可能會較爲沮喪，也許在胸部那動來動去，試著去刺激它有更大的流量。流速較慢也許是緊張的跡象，試著再放鬆一點，可以在餵食前聽一些冥想的音樂。如果這也起不了作用，用手當唧筒幫你的胸部「啓動」一下，直到你看到乳汁流出，然後讓寶寶吸吮。大約三分鐘就會有效果，可以預防寶寶沮喪。

不要換邊餵。許多護士、醫生、哺乳專家會告訴女性每十分鐘就換邊餵，讓寶寶每次吸奶兩邊乳房都會輪到。看看乳汁中三種成分的特色，你就會明白爲什麼換邊餵不是個好主意。

## 乳汁的三種成分

如果讓母奶裝在奶瓶裡的放上一小時，它會分為三個部分。從上到下，你會發現液體越來越黏稠，正如它依序流洩到寶寶嘴裡的排列：

奶水（Quencher）（開始的五至十分鐘）：比較像脫脂牛奶，我覺得有點像湯，可以讓寶寶解渴。它含有豐富的催產素，就像在做愛時所分泌的賀爾蒙，媽媽和寶寶都會受影響。媽媽變放鬆，就像高潮過後；寶寶則顯得昏昏欲睡。這時候的母奶乳糖的濃度最高。

前乳（Foremilk）（吸奶後的五至八分鐘）：像一般的普通牛奶，含有大量蛋白質，對骨骼以及頭腦的發育很好。

後乳（Hind milk）（吸奶後的十五至十八分鐘）：很黏稠，像乳脂一樣，也就是好吃的脂肪——就是這個「甜點」幫寶寶增加重量的。

特別是嬰兒誕生的頭幾週，我們想確定他有吸收到乳脂。如果每十分鐘就換邊餵，最好的情況寶寶不過吸收了前乳，卻從未喝過後乳。更糟的是，換邊的結果等於在發送訊息，告訴身體不需要製造後乳。相反來說，如果一次只餵一邊，三種母奶他都可以喝到，營養均衡。而且，你的身體也會適應這樣的養生法。想想看，有雙胞胎的媽媽不就是這樣餵母奶的嗎？如果餵到一半替兩個寶寶換邊，不是很傻嗎？每次餵完母奶，用個安全的小東西標示下次要餵母奶的乳房。

媽媽在我的協助後，可以從第三天或第四天時開始每次單邊餵母奶。但是我常常接到媽媽情急的電話，她們的小兒科醫生或是哺乳指導告訴她們要換邊餵，通常她們的小孩是兩週大到八週大。

舉瑪莉亞的例子來說，她有個三週大的寶寶，她說：「寶寶每隔一小時就要吃，甚至是半小時一次。我不知道該怎麼做才好。」瑪莉亞的小兒科醫生對此並不感興趣：賈斯汀體重增加得很慢，但是至少是在增加中。賈斯汀每個小時就要吃並不會對醫生有任何困擾——又不是他在餵的！我和瑪莉亞分享每次單邊餵母奶的觀點。由於瑪莉亞的身體已經習慣換邊餵，得逐漸去改變賈斯汀的慣例。我幫助瑪莉亞讓賈斯汀吸五分鐘後就換邊，讓餵母奶集中在換過後的另一邊。這樣持續三天後，每次餵母奶時，胸部可以解除持續使用以及充血的壓力。同樣重要的是，瑪莉亞的大腦會得到訊息：「我們現在並不需要這一邊的乳房」。未餵母奶的這邊的乳汁會被儲藏好，三個小時後賈斯汀要吃時就派上用場了。到了第四天，瑪莉亞就可以每次單邊餵母奶了。

不要盯著時鐘看。餵母奶不是時間多久或量多少的問題，而是你自己以及寶寶的感覺。喝母奶的寶寶會吃得多一點，因爲母奶比奶粉好消化。所以如果寶寶兩、三個月大，餵食四十分鐘，大概三個小時她就消化完了。

提示：餵母奶後，記得用乾淨的毛巾清潔乳頭。剩餘的乳汁會滋養細菌，使你的胸部和寶寶的嘴巴受到黴菌感染。千萬不要使用肥皂，那會讓乳頭變得乾澀。

爭取你的權利，你可以自己決定哺育的方式。很少有人會告訴你不要換邊餵母奶。然而到底如何哺育寶寶是你的決定，要堅持到底。

給另一半和朋友的建議：當你的配偶或是好朋友初次餵母奶時，汲取她的經驗並做一個敏銳的觀察者。確定寶寶有正確的含住，但是，不要太過小心翼翼，雖然你是全神貫注，不要變成在「指導」，像做實況報導一樣：「做得好，我可愛的小女孩，沒錯，就是這樣……又鬆掉了……把她抱高一點……對了，就是這樣沒錯……不會吧，又掉了！」設身處地爲媽媽想想，她需要的是愛的支持，而不是一名播報員。要媽媽學會餵母奶的藝術，又不帶被評判的感覺是很難的。

找一個良師益友。在過去，餵母奶的技能是由媽媽傳授給女兒的。但是因爲在四○年代晚期到六○年代晚期奶粉的風行，那一代原本該是餵母奶的人都決定要用奶粉餵食，造成今日許多年輕的媽媽無法請母親加以協助。更讓人難過的是，年輕媽媽常常得到相互衝突的訊息。例如在醫院裡，這個時段輪班的護士告訴她寶寶應該要這樣抱，另一個的說法就又不同了。這樣的混亂不僅影響媽媽母奶的供應，也讓媽媽陷入情緒的死胡同，更重要的是，會影響她哺育寶寶的能力。因爲這樣的迷惑，我替媽媽們創立哺育母奶支持團體。沒有比剛剛經歷過的媽媽更適合幫助你度過一開始的困難。

提示：明智挑選良師益友——有耐心、幽默感、對餵母奶有正面看法的人。對於不好的說法或是牽強的故事要打點折扣，不要盡信。格麗卿想起慘痛的回憶，她告訴我不想餵母奶的原因是「我朋友的寶寶呑下她的乳頭。」

## 到底多少才夠？——之一

除非唧出乳汁秤重，否則很難知道寶寶到底喝了多少。雖然我不建議盯著時鐘，許多媽媽總是詢問到底餵母奶多久才適當。當寶寶漸漸長大，進食會越來越有效率，花的時間就會減少。以下是一個預估值，以及一次大約餵食多少的量：

[illegible]四十分鐘（六十至一百五十毫升）
[illegible]多卅分鐘（一百二十至一百八十毫升）
[illegible]多廿分鐘（一百五十至二百四十毫升）

[illegible]的母奶供應量，兩、三天做一次我所謂的「產量調查」—[illegible]的概念。找一天在餵母奶前十五分鐘握一下乳房，量量你[illegible]的產量，你就會有些概念了。

## 儲藏母奶

我曾經拜訪過一個幾乎要發狂的媽媽，因為她唧出放在冰箱約三公升的母奶，遇到停電而壞掉了。我目瞪口呆地問她：「親愛的，你想締造世界記錄嗎？為什麼要儲藏這麼多母奶呢？」當然，唧出然後儲藏母奶是個很好的點子，但是也不能過分熱衷。這裡有幾點需要謹記：

◎新鮮的母奶要即刻冷藏，儲存不要超過七十二小時。

◎最多可以將母奶冷凍六個月，但那時嬰兒的需求已經不同了。一個月大的嬰兒所需要的營養和三個月大或六個月大的嬰兒是不同的。母奶的奇妙就在於它的成分會隨著嬰兒的成長而有所不同。所以，為了確保儲藏的母奶所含的卡路里可以滿足嬰兒的需要，儲藏不用超過十二包一百廿毫升的量，且每四週要更替一次。從保存最久的開始用。

◎母奶可以存放在無菌的奶瓶或特殊設計的塑膠袋裡（一般塑膠袋的化學物會溶在母奶中）。不管以哪種方式儲存，都要

### 甘藍菜的迷思

餵母奶中的媽媽都會被告知不要吃甘藍菜、巧克力、大蒜等味道強烈的食物，怕它們會「融入」母奶中。簡直胡說八道！一個正常、多樣化的飲食，並不會對母奶有影響。那些在印度的媽媽們，她們辛辣的飲食大概會倒盡很多人的胃口。可是她們自己或寶寶並不覺得不妥。

甘藍菜或類似的食物並不會讓寶寶脹氣。她們會脹氣是因為吞入太多空氣、錯誤的打嗝，或是因為消化系統尚未發育完全。

偶爾，寶寶會對媽媽飲食中的某些食物過敏。通常是牛奶、大豆、小麥、魚、蛋或堅果所含的蛋白質。如果你認為寶寶對你飲食中的某些食物有反應，暫時停止攝取兩、三週，然後再試試看。

記住，運動也會影響你的乳汁。當你運動時，肌肉會分泌乳酸，這會導致寶寶胃痛。所以，在餵母奶前一個小時不要運動。

記得標上日期和時間。儲存在六十毫升或一百廿毫升的容器裡，避免浪費。

◎要記得母奶是人類製造的流質。手一定要洗乾淨，盡量不要觸碰到，最好直接唧到冷藏袋中。

◎解凍母奶時把密封容器浸在溫水裡約三十分鐘。絕對不可以微波爐解凍，那樣會破壞蛋白質，改變母奶成分。搖搖密封袋，讓在解凍過程中被分離的脂肪混合在一起。解凍後的母奶要立即飲用，如果放進冷藏室不要超過廿四個小時。可以將解凍的母奶和新鮮的混在一起，但是不要再冷凍起來。

寫下哺乳日誌。當你度過頭幾天，開始每次單邊餵母奶時，我都會建議記錄下寶寶進食的時間、多久、哪一邊的乳房、還有其他一些相關的細節。142頁是我印出給媽媽們的紀錄表格。可以因應個人需要去做調整。在頭兩列我有書寫當作範本。

遵守我的四十天原則。有些女性幾天就可以抓住餵母奶的竅門，有些則需要長一點的時間。如果你是後者，不要開始驚慌。給你自己四十天的時間，不要有太多的期待。當然，每個人都希望可以馬上順利餵母奶，所以兩、三天後，你或你的伴侶可能開始失去耐心或是擔憂起來。但是要感到舒適且正確的餵母奶，得多花一點的時間。這四十天有什麼特別的呢？大約六週，通常就是定義中的產後期。對有些女性而言，得花這麼長的時間才能學會餵母奶。甚至只是要適當的含住，都可能會遇到這些問題（131頁），或是寶寶無法馬上就吸住。讓雙方都喘口氣，允許花時間從錯誤中去學習。

**提示：你一天所攝取的卡路里，除了供給給寶寶，也提供給自己。這也就是為什麼在餵母奶時維持**

你的食物攝取這麼重要的原因——不能急速節食。保持健康、均衡的飲食，要富有高蛋白及各種碳水化合物。而且，因為寶寶從你身上攝取流質，每天要喝十六杯水——平常建議量的兩倍。

## 餵母奶的兩難：是餓了？吸吮的需要？或是急速成長？

記住這點是很重要的，新生兒都有有生理上吸吮的需求，大約每天有十六個小時需要。特別是餵母奶的媽媽，常常會搞混吸吮和肚子餓這兩種需求。以黛兒為例，她打電話來詢問我：「特洛伊好像永遠都很餓。所以當他哭時，我就把他抱在胸前，他差不多吸吮三分鐘就睡著了，我試著去叫醒他，因為我怕他還沒吃夠。」他是三週大、四點五公斤重的寶寶，所以我知道特洛伊不會營養不良。反而是黛兒將寶寶的吸吮以求放鬆誤解為肚子餓，甚至一小時前他才剛進食而已。當他在媽媽胸部上睡著時，媽媽去戳他、敲他，也沒辦法要他再多吸幾口，然後黛兒將特洛伊抱開。問題在於這又消磨了廿或卅分鐘，而這段時間他應該要好好睡覺才對，當將寶寶抱離胸部，可能正是他進入快速眼動睡眠期，他會因此醒過來。由於被打擾，他會想再吸吮以撫慰自己，而不是他突然又餓了，所以媽媽只好再坐下，情形又重演一次。

問題出在黛兒不經意間訓練特洛伊變得愛吃零食。想想看：這就是為什麼不給小孩在正餐之間吃零食的原因。如果小孩一整天都在吃，就沒辦法吃正餐了，嬰兒也沒辦法每小時或一個半小時就吃一次。如果讓寶寶喝奶瓶的話，就比較不會發生這種情況，因爲媽媽知道寶寶到底喝了多少。然而，不管是哪種哺育方式，當寶寶正實行三小時一循環的規律時，你會知道她有吃飽，也不用在餵食中叫醒她，因爲她在休息。

再來談另一個讓餵母奶的媽媽感到困惑的情況——急速成長。假使寶寶每兩個半或三個小時就規律地被餵食，卻突然看起來特別餓，好像整天都很想吃，有可能就是在急速成長中——寶寶有一天或兩天吃的比平常還多。急速成長通常發生在每三至四週。如果你注意觀察的話，會發現寶寶食量增多只會持續四十八小時，然後又回復到E.A.S.Y.的慣例。

不管你怎麼反應，千萬不要把急速成長跟乳汁供應減少或不足混爲一談。事實上，嬰兒成長時，需要也會跟著改變，想要多吸一點只是正常地在向媽媽身體發出訊號：「多製造一些！」很神奇的，

## 唧取母奶入門

將母奶唧出並不是要取代親自餵母奶，而是要去補充、加強經驗。唧出母奶可以讓胸部卸下重擔，當你不在寶寶身邊，她也可以喝到母奶，也可以防止像是充血的問題（144頁）。要確定餵母奶教導者有示範給你看如何適當的使用吸乳器。

選擇哪一型？如果你的寶寶是個早產兒，你需要的是強而有力的電動式吸乳器。如果你決定幾乎都待在寶寶身邊，手動或腳動的吸乳器就可以。不管哪種情形，學習用手去擠壓，為停電做預防。

買哪一種？吸乳器要買或租附有馬達可調整速度和力道的。

何時？一般來說，在餵母奶後一個小時會再度填充完畢。為了增加產量，連續兩天在餵母奶後十分鐘就唧取。回復工作後，如果無法在一般餵食時間唧取，至少每天在同一時間唧取，舉例來說，午餐的十五分鐘時間。

何處？不要在工作場所的洗手間裡唧取，那不衛生。在關上門的辦公室或是其他安靜的地方。有個媽媽告訴我，她們公司裡有一間「母乳唧取室」，清掃得非常乾淨，專門讓餵母奶的媽媽使用的。

健康的媽媽身體可以製造出寶寶需要的。讓寶寶喝奶粉的，如果三個小時的循環餵食中，寶寶突然比較容易餓，只要給他多一點食物就好了。就像餵母奶的媽媽一樣。當然，採取每次單邊餵母奶時，要是寶寶吸光單邊的乳汁（通常發生在寶寶六公斤重時），就換邊餵，給他所需要的量。

如果寶寶只在晚上才顯得特別餓，可能不是因爲急速成長，是他沒有攝取到足夠的卡路里，你需要調整你的E.A.S.Y.慣例，供給他所需的卡路里。也是實行「密集餵食」的好時機（請看第六章）。

提示：好好睡一覺，隔天清晨乳汁就會富含脂肪。如果寶寶在晚上顯得特別餓，可以一早將乳汁唧出儲存，晚上讓寶寶喝富含脂肪的乳汁，會讓寶寶得到需要的卡路里，讓你和先生在夜晚可以休息一下，更重要的是，別去想「我有製造足夠乳汁給寶寶嗎？」的問題。

## 利用你的常識

雖然我建議規律的餵食慣例，並不是說放任寶寶肚子餓哭兩小時而不餵他。事實上，在急速成長時，寶寶可能需要吃的多點。我的意思是，如果讓寶寶在規律的期間進食的話，他會進食更有效率，腸子的運作也會更好。

我也不是說當你的寶寶因為成長的很快，需要更多擁抱或進食時，你應該要去抑制他。我想說的是，我不喜歡看到寶寶沮喪不已，只因為他們的父母在該做時卻不肯去做。讓寶寶養成壞習慣，這並不是寶寶的錯。所以，如果你肯運用你的常識想想，你就可以避免寶寶受到傷害。

## 哺育母乳的煩惱

| 發生什麼事 | 為什麼 | 該怎麼做 |
| --- | --- | --- |
| 「寶寶餵到一半就會開始局促不安、扭動。」 | 不到四個月大的嬰兒，這可能表示他需要排便。他沒辦法同時排便跟吸奶。 | 抱離胸部，讓她躺在你膝上，讓她排便，然後再繼續餵母奶。 |
| 「當我餵他時，寶寶常常會睡著。」 | 寶寶可能吸收太多催產素。或是只是需要吸吮而不是真的餓了。 | 要叫醒想睡的寶寶，可以參考116頁的提示。同時也自問：「寶寶有依循慣例嗎？」這是去檢測她是不是真的餓了的最好方法。如果他每小時都吃，他可能只是在吸吮而不是真的想大吃一頓。讓她依循E.A.S.Y.。 |
| 「寶寶斷斷續續的敲打我的胸部。」 | 有可能對乳汁流洩較慢感到不耐。如果他伴隨著舉起他的腳，可能是脹氣或是他並不餓。 | 如果這常常發生，可能是乳汁流洩的太慢。事先用唧筒輔助一下。如果是脹氣，試試279頁的方法。如果這些都不管用，他可能不想吃，讓他離開你的胸部吧。 |
| 「寶寶好像忘記該怎麼去含住。」 | 所有的寶寶，特別是男孩，有時後會「忘記」——失去焦點。也有可能表示她們餓過頭了。 | 把小指放進寶寶嘴裡幾秒鐘，讓他回過神來，記起該如何吸吮，再很快的抱到胸部。如果他餓過頭，你又知道你乳汁流洩的較慢，在讓他吸吮前先做好準備。 |

## 餵喝奶粉的基本原則

不管理由是什麼，總之你要餵寶寶喝奶粉，沒問題，你絕對有權利這樣做。柏妮絲讀遍手邊所有的書，包括複雜的醫學報告，她告訴我：「崔西，如果我不那麼努力會有罪惡感，因爲我閱讀有關奶粉的資訊——有些甚至連護士都不知道，所以他們得尊重我的決定。但是我爲那些不夠堅強的女性感到遺憾。」這是對挑剔奶粉的人最好的辯護——雖然你不需要這樣做，但事實就是如此。

了解奶粉的成分再做選擇。有許多不同的奶粉，每種都經過政府食品及藥物管理機構檢驗過。基本上奶粉不是牛奶蛋白就是黃豆蛋白做的。雖然兩者都富含維他命、鐵質、和其他營養，我偏好以牛奶蛋白做的奶粉。差別在於從牛奶蛋白奶粉可以吸收到的脂肪，在黃豆蛋白奶粉裡會以植物油來取代。雖然黃豆蛋白奶粉裡沒有引起腹絞痛或過敏的動物性蛋白或乳糖，我還是建議先試試低度過敏的牛奶蛋白奶粉。並沒有確切的證據顯示黃豆可以防止這些問題，而且，有些牛奶蛋白奶粉含有黃豆蛋白奶粉沒有的營養。如果擔心奶粉會引起疹子或脹氣，記得，喝母奶的寶寶一樣會有這些問題。這些症狀並不是有害的反應，一些更激烈的，像是嘔吐或腹瀉才可能是。

挑一個最像自己乳頭的奶嘴。市面上有許多不同的奶嘴——平的、長的、短的、球狀的——有一套搭配的奶瓶。我都會建議讓新生兒使用必須用力吸吮才能喝到的奶瓶，就像是在喝母奶一樣。雖然有些奶嘴可以調整流量，但是奶瓶裡奶水的重量決定流量，而不是寶寶自己決定流量的大小。通常我會建議使用這類型的奶瓶直到寶寶三或四週大時。第二個月換成流量較小的奶嘴，第三個月換成流量稍大的奶嘴，第四個月到斷奶時就使用正常流量的奶嘴。如果你餵食方式有親自餵母奶也有喝奶瓶，除了考慮流量之外，找一個形狀和自己乳頭相近的奶嘴也很重要。

我最近拜訪愛琳，她也是餵母奶，打算再回工作崗位。她試過八種不同的奶嘴，寶寶全都拒絕。愛琳痛哭說：「她把它含在嘴裡或讓它沿嘴角滑出，每次讓她進食，眞像一場惡夢。」我想像她一天平均得餵食八次，簡直是一連串惡夢。我告訴她：「讓我看看你的乳頭，然後出門去購物。」我們所做的就是找個最像愛琳乳頭的奶嘴。比起其他八個，這個像媽媽乳房的奶嘴寶寶的確比較習慣。

當採買奶瓶和奶嘴時，同時也買個通用的螺旋蓋，這樣的話，需要的時候就可以變換。不要全然相信廣告，看看哪種最適合寶寶。

初次餵母奶時要溫柔一點。當你第一次要將奶嘴放進寶寶嘴裡，用奶瓶的奶嘴輕撫他的雙唇，等到他張開嘴巴，溫柔地將奶嘴滑進讓他含住。千萬不要硬塞進寶寶嘴裡。

不要將自己的哺育方式和餵母奶的媽媽做比較。奶粉消化的速度比母奶慢，所以喝奶粉的寶寶可能是每四小時而不是每三小時餵一次。

## 第三種選擇：餵母奶和喝奶瓶都有

暫且拋開我對母奶與奶粉一視同仁的看法，我總是建議父母，

**奶粉儲藏**

奶粉只要沒開封，就可以放到它的保存期限。只要一旦沖泡好裝到奶瓶裡，只能保存廿四小時，但大多的製造商都不建議冷藏。如同母奶一樣，千萬不能使用微波爐，雖然這不不
改變奶粉的成分，但是它會加熱不均勻，可
燙到寶寶。不要重複使用寶寶沒喝完的奶
避免浪費，在寶寶食量未增大前，只
毫升和一百廿毫升容量的奶瓶就

就算只有一些母奶也比全然沒有好。有些媽媽聽到這點會覺得驚訝，特別是與擁護母乳的醫生或機構諮商過的媽媽，他們認為只能擇其一。

他們問道「真的可以兩者並行嗎？有可能親自餵母奶又讓寶寶喝奶瓶嗎？」我的答案永遠是「當然可以。」我同時也解釋「兩者並行」的意思，寶寶可以喝母奶又喝奶粉，或是只喝母奶，但是親自餵母奶或用奶瓶喝都可以。

假定有些媽媽一開始就知道自己的偏好。像柏妮絲在懷孕期間就做徹底的研究，百分之百確定她要讓伊凡喝奶粉——所以要求產科醫生替她注射賀爾蒙讓乳汁乾涸。但是，介於中間的媽媽怎麼辦？有些因為開頭幾天的乳汁供應有限，必須要餵奶粉。有些女性則決定一開始就餵母奶也喝奶粉，因為不希望自己的生活有太多的限制。還有一些則是一開始採取某種方式，之後又改變心意。這些當中的大多數，都是先餵母奶，然後慢慢增加奶粉的量；但是，也有相反的例子。

如果寶寶小於三週，就算吸過母奶也很容易可以用奶瓶餵，反過來也是一樣，可以持續這樣換來換去。可是三週後，對媽媽或寶寶來說都很難改變。所以要及早採取行動，不要過了那時機才決定。

讓我們看看一些例子，媽媽們怎麼做出最好的選擇。

**到底多少才夠？——之二**

餵食奶粉的話，它的成分從未改變。就像餵
增加攝取量。
出生到三週大：每三小時九十毫升
三到六週大：每三小時一百廿毫升
六到十二週大：每四小時一百廿至一百八十毫
到一百八十毫升）
三到六個月大：每四小時會增加到二百四十毫

會
能會
瓶。為
要準備六十
好。

凱瑞：需要補充餵食。特別是媽媽剖腹產時，在頭幾天，可能無法製造足夠的乳汁供給寶寶。特別是在產後注射嗎啡，會讓身體機能停滯，然而媽媽卻不了解自己沒有分泌乳汁。有一些不幸的例子發生，媽媽親自餵母奶後的幾週，寶寶嚴重脫水，甚至營養不良而死亡。寶寶的確在吸吮，可是媽媽並不知道寶寶沒吸收到。這也是爲什麼檢查寶寶的大便、尿液和一週秤重一次這麼重要。

不幸的是，許多媽媽並不知道有時得花上一週的時間才會分泌乳汁。因此，不管姿勢多正確、寶寶吸吮得多好，如果媽媽沒有分泌乳汁，寶寶就無法成長。在醫院裡，要是護士告知媽媽需要給寶寶喝葡萄糖或奶粉，媽媽也許會堅持：「不行，我的寶寶不喝奶粉！」她聽說額外的餵食會破壞她的「母奶」。事實是，如果奶水不足，就別無選擇。

就算被告知要餵寶寶喝奶粉，我會告訴媽媽還是讓寶寶吸吮乳房，因爲吸吮會幫助輸送母乳的靜脈竇動起來，這是吸乳器無法辦到的。當寶寶吸吮時，會發送訊息給大腦，要製造乳汁，而醫療用的吸乳器只會唧出蜂窩儲藏的乳汁而已。因此，雖然讓寶寶喝奶粉，也要繼續每兩小時就使用吸乳器，刺激流量。舉凱瑞來說，她剖腹生了雙胞胎，在頭三天並沒有乳汁分泌。因爲寶寶的血糖很低，我們立即讓他們喝奶粉。凱瑞依然讓寶寶吸奶——每兩小時廿分鐘，但也讓寶寶喝卅毫升的奶粉。餵食過後，媽媽使用吸乳器，一小時過後仍會如此。第四天，凱瑞開始分泌乳汁來替代卅毫升的奶粉，這時寶寶只喝廿毫升的奶粉。這讓媽媽精疲力盡。也難怪在使用吸乳器的第三天傍晚，凱瑞忍不住崩潰，終於，第五天雙胞胎只喝母奶就可以飽餐了。

芙麗塔：不想親自餵母奶，但是希望寶寶可以喝母奶。我先前曾經說過，因爲對於身材的看法，特別是胸部，有些媽媽拒絕親自餵母奶，可是她們認可母奶對寶寶健康的益處。就像芙麗塔，只有在頭幾天親自餵母奶，只是為了讓乳汁可以分泌。直到寶寶滿月，她都用吸乳器將母奶唧出，在寶寶滿月時，她的乳汁也乾涸了。我也知道有代理孕母將乳汁唧出冷藏，然後快遞給認養寶寶的母親。不管哪一種情況，只用吸乳器唧出乳汁，乳汁的分泌不會超過五週。

凱瑟琳：關注家庭的融洽。當懷第三個寶寶時，凱瑟琳就決定要親自餵母奶，就像她對七歲和五歲的女兒所做的一樣。史帝文在醫院裡並沒有含住乳頭的問題，但是當凱瑟琳回家後，她簡直不知所措。因為白天並沒有足夠時間可餵母奶，所以媽媽不情願的改以奶粉哺育。約兩週後，她打電話給我，把我當成最後的求助希望，她希望和史帝文有種親密感，就像她親自餵兩個女兒母奶一樣的感覺，但是每個人都告訴她太遲了。此外，她也了解餵母奶曾經粉碎她的家庭生活。凱瑟琳透露：「我眞正想要的，是一天親自餵母奶兩次就好了——一次在早晨他剛起床的時候，一次在午餐時間，就是兩個姊姊從學校回家前。」我向凱瑟琳解釋，乳房是很神奇的——如果一天只餵母奶兩次，乳房會製造剛剛好餵母奶兩次的量。要餵母奶得再回復分泌乳汁——凱瑟琳讓史帝文一天吸奶兩次，其餘六次用吸乳器。一開始，雖然史帝文有在吸吮乳房，凱瑟琳也得讓他喝奶粉，到了第五天，在餵母奶過後顯的較滿足，藉著吸

### 奶嘴混淆的迷思

有些人把「奶嘴的混淆」當作不要同時親自餵母奶又讓寶寶喝奶瓶的理由。我認為這是一個迷思。會困擾寶寶的是流量的大小，而這是很容易被提醒的。吸母奶的寶寶會比喝奶瓶的寶寶運動到更多的舌部肌肉。吸母奶的寶寶只要改變吸吮的方式，就可以調整乳汁的流量，但是喝奶瓶的寶寶，流量的大小是由重量在控制，而不是寶寶自己。如果寶寶一開始喝奶瓶，最好使用寶寶用力吸吮時才能喝到奶的種類。

乳器的使用，她又可以再度分泌乳汁了。像這樣的例子，一旦又開始分泌乳汁，就不再需要藉助吸乳器。最後，凱瑟琳得到了她渴望的親密接觸，而且也不會影響到家庭生活。

薇拉：要重回職場。如果決定再重回職場，她不是唧出乳汁儲藏就是讓寶寶喝奶粉。有些女性會等到復職前一週，一天一次或兩次讓寶寶喝奶粉，但是要是寶寶拒絕呢？我建議在復職前三週開始讓寶寶喝奶粉。就像薇拉早晨時親自餵母奶，其他時間讓寶寶喝奶粉，下班回家後再餵母奶，半夜是先生幫忙餵寶寶喝奶的。當媽媽希望多一點自己的時間或是媽媽必須旅行時，也是一樣的情節。在家工作的媽媽也可能會唧出乳汁，讓其他照顧者去分擔一些哺育的工作。

**提示：疲累是職業婦女最糟的敵人，不管選擇何種哺育方式。在前幾週要降低疲累的方式之一，就是讓事情從週四而不是週一開始。**

珍：動過外科手術，妨礙她餵母奶。一些嚴重的疾病或是手術，因爲生理上的因素讓媽媽無法持續餵母奶。這樣的例子，世界健康組織建議你去請求其他媽媽貢獻乳汁。但是讓我告訴你，那只是美麗的遐想——沒這回事。當珍的寶寶滿月時，她被告知得動手術，至少在醫院的三天要遠離寶寶。我打電話給我認識的廿六個餵母奶的媽媽，只有一個願意貢獻乳汁——而且只有二百四十毫升。你會以爲我在要求黃金而不是乳汁！結果珍唧出一些自己的乳汁，也讓寶寶喝一些奶粉，相信我，寶寶絕不是經歷最糟的人。

## 需不需要安撫奶嘴：每個媽媽的疑問

安撫奶嘴已經存在幾世紀了——而且立意良好。新生兒唯一能掌控的就是嘴巴。吸吮是為了滿足口部刺激的需要。過去，媽媽會利用破舊衣服甚至精美的木塞放在寶寶嘴裡，讓他口部得到安撫。

不需要將安撫奶嘴做負面的聯想，在現代爭辯四起，部分是因為他們的錯誤使用。當安撫奶嘴被不適當的使用，就變成我所謂的道具——寶寶會依賴它以得到自我的慰藉。我稍早也提過，當父母沒有暫停一下，去傾聽寶寶的需要，只是塞個安撫奶嘴讓他安靜，不過是讓他們變得沈默罷了。

我喜歡讓不滿三個月大的寶寶吃安撫奶嘴，在睡覺或小憩前藉之讓他平靜，或是在試著讓他忘記夜晚的進食。過了那個時期後，寶寶對手的控制力會增強，可以吸吮手指或拇指來自我撫慰。

關於安撫奶嘴的迷思有很多。譬如有人相信如

### 喝奶的規矩

約四個月大時，寶寶的手會開始亂動，可以轉頭、扭曲身體。哺育時，她們會亂動你的衣服或首飾，如果她們搆的到，也會戳你的臉頰、鼻子或眼睛。漸漸長大時，會開始養成其他一些壞習慣，一旦開始，就會很難去糾正。所以從現在開始，就要教導寶寶我所謂的「喝奶的規矩」。每一次，都要堅定、溫柔的提醒寶寶界線何在。也試著在一個安靜的地方餵母奶，讓他的注意力不要那麼分散。

◎胡亂動時：握著她的手溫柔的將手移開，或是她想碰觸時，告訴她說「媽媽不喜歡這樣。」

◎注意力分散時：最糟的就是寶寶注意力分散調過頭去，而他嘴裡還含著媽媽的乳頭。當發生時，將他抱離胸部，並且說道「媽媽不喜歡這樣。」

◎咬人時：當寶寶長牙時，幾乎每個媽媽都曾經被咬。但是應該只發生過一次。不要害怕去適當的做出反應，拉開他並且說「喔，你弄痛媽媽了，不要咬媽媽。」通常這樣就夠了，如果無法阻止，就讓他離開你的胸部。

◎拉扯襯衫時：學步的小孩有時在被哺育時會這樣做是想被安撫。可以簡單地說「媽媽不想襯衫被掀起，不要拉它。」

果給寶寶吃安撫奶嘴，他就不會吸吮自己的拇指。眞是一派胡言！我的女兒蘇菲就是個實例，接下來的六年她都吸吮拇指，當大了一點，只有在睡覺時間才會吸吮——她也沒有因此而有齙牙！

當選購安撫奶嘴時，就跟買奶嘴一樣的原則：找一個寶寶習慣的形狀。市面上有多種不同的安撫奶嘴，從中挑選，一定能找到一個和你的乳頭最相似的，也能找到一個來搭配她的奶瓶。

## 寶寶斷奶囉！

斷奶有兩種不同的意義。和一般的錯誤印象相反，斷奶並不是指不吃母奶，而是所有哺母動物的一種自然進展：從母奶或奶粉的流質飲食，變成吃固體食物。通常，寶寶也不需要完全停止吸母奶，當你開始讓他吃固體食物，他對牛奶的需求就會越來越少，因爲他已經從其他方面得到所需的營養。實際上，有些寶寶會自動——差不多八個月大時就

### 交互輪替

在剛開始的三週，寶寶可以容易的在媽媽胸部與奶瓶間換來換去。如果拖太久，可能會辛苦一點。吸母奶的寶寶一開始會對奶瓶卻步，因為他只認識和期待人類肌膚的觸感，他可能會用嘴巴捲繞奶嘴，不知道該如何去吸吮或含住它。反過來也是一樣，如果寶寶不習慣媽媽乳頭的感覺，她也不會本能的知道該如何去含住。

先前喝母奶的寶寶會留下餵母奶的印象，拒絕在白天進食，當媽媽回家，忙著在睡覺前讓寶寶吸吮最後幾次時，寶寶可不這麼想，她會在半夜叫醒媽媽，試著去補足她想念的餐點，她不知道或不在乎現在是半夜，她餓了。你會怎麼做？連續兩天，只有奶瓶沒有媽媽的乳房（或是反過來）。要記得寶寶永遠都樂意回復原有的哺育方式。當寶寶習慣奶瓶或媽媽的乳房時，一旦存在於記憶中，只有當他拒絕它時，這檔事才會消失。

當心：這是一項艱難的任務。寶寶會感到沮喪，而且常常哭。他在向你說「你究竟在我嘴巴裡放進什麼？」在餵食時他可能會哽住或噴濺出來，特別是要轉換成喝奶瓶時，因為他不知道如何去控制從橡膠奶嘴流出來的液體。再重複一次，選擇必須用力吸的奶瓶。

放棄吸母奶。有些寶寶則較爲頑固一點。像周歲的崔佛就不想改變，儘管父母早就做好準備。我告訴他媽媽要堅定的拒決，我都會警告雙親接下來的幾天寶寶會感到沮喪，畢竟，他已經吸母奶超過一年，從來不知道奶瓶。過了幾天，崔佛終於習慣了。另一個媽媽雅德蓮娜，等了兩年才告訴她的寶寶不能再吸奶。雅德蓮娜不情願放棄親自餵母奶引發的親密感，並不是寶寶的因素。

大多的小兒科醫生都會建議你在嬰兒六個月大以後，才開始讓他吃固體食物，只有一些巨嬰（四個月大時就已經有十公斤重）或是食道有問題、通常也會心痛的嬰兒例外。六個月大時，嬰兒需要固體食物中的鐵質，因爲他身體儲藏的鐵質會從此時開始消耗。本能的，當有東西（例如奶嘴或湯匙）碰到嬰兒的舌頭時，她就會伸出舌頭，這樣就比較好去呑嚥一些柔軟的固體。六個月大時，頭部和頸部的控制力也漸漸發展。這時寶寶可以跟你表示他興趣缺缺，或是藉著往後傾、掉頭來向你說他吃夠了。

斷奶很簡單，只要依照以下這三個重要的導引就行：

## 對吸吮拇指加以讚美

吸吮拇指是口部刺激很重要的一種形式，也是一種自我撫慰的行為。甚至寶寶在子宮裡時也這樣做。當他們有麻煩時，就會在夜晚吸吮拇指或其他手指，通常是在沒人撞見的時候。問題在於你自己對吸吮拇指的負面聯想歪曲了你的看法。也許當你是個小孩時，因為吸吮拇指而被嘲笑；也可能被父母打手，說這是「壞習慣」或說這樣做「很噁心」。我聽過父母替寶寶戴手套、抹臭臭的乳液、甚至限制寶寶手臂的行動，這些都抑制拇指的吸吮。

事實是，不管你喜不喜歡這檔事，寶寶就是該吸吮，而我們應該去鼓勵他這樣做。客觀一點。記住這是寶寶能控制自己身體和情緒的首要方式之一。當他發現拇指，能夠去吸吮它，會讓他覺得舒坦一點，有那種掌控感和成就感。也許安撫奶嘴也有一樣的功效，但是那是大人在控制的，也可能會弄丟。而拇指永遠在手上。我向你保證，當他做好萬全準備，就會停止吸吮拇指了。

◎先從某種固體食物開始。我偏好洋梨，因爲很容易消化，但是如果你的小兒科醫生建議其他食物，像是麥片，就照他所說的做。一天吃兩次新食物，早上跟下午，兩週後再介紹另一種。

◎永遠在早上介紹新食物。這讓你有一整天的時間去觀察寶寶是否對此食物反應不良，像是起疹子、嘔吐、腹瀉。

◎千萬不要把食物混在一起。這樣就無法得知是不是對某種食物過敏。

在下面開始斷奶的十二週的表格，我列出了在何時、介紹何種特定食物。寶寶九個月大時，我推薦雞肉湯，用來替寶寶的麥片調味，嘗起來糊糊的，或是用來稀釋在家做的濃湯。我建議等到寶寶滿周歲後，再讓他嘗試肉、蛋或全脂牛奶。當然，你的小兒科醫生對此有決定性的影響。

當寶寶排斥某種特定食物時，不要去強迫他、跟他對抗。餵食對寶寶或全家人而言應該是種愉快的經驗才是。就像此章節的一開頭我就說了，進食是人類生存的基本原則。如果我們夠幸運，關心我們的人也會讓我們體認、享受美好食物的味道。這種鑑賞應該從嬰兒時期就開始。愛的食物是你能給寶寶最棒的禮物之一。有益的均衡飲食不見得會讓他得到整天所需的精力。在下一章我們會發現，那對成長中的寶寶是種苛求。

| 哺乳日誌 | | | | | | | | |
|---|---|---|---|---|---|---|---|---|
| 時間 | 哪一邊的乳房 | 多久 | 有聽見吞嚥聲嗎？ | 上次進食到現在，尿布濕了幾片 | 上次進食到現在，便便的次數和顏色 | 補充物：水／奶粉 | 喞出的乳汁量 | 其他 |
| 6A.M. | ■L □R | 35min | ■Y □N | 一片 | 一次黃黃的很軟 | 沒有 | 三十毫升 7:15 A.M. | 吃後感覺有些煩躁 |
| 8.15 A.M. | □L ■R | 30min | ■Y □N | 一片 | 0次 | 沒有 | 四十五毫升 8:30 A.M. | 在餵母奶中需叫醒他 |
| | □L □R | | □Y □N | | | | | |
| | □L □R | | □Y □N | | | | | |
| | □L □R | | □Y □N | | | | | |

## 開始斷奶的十二週

下列十二週的計畫表是以六個月大的寶寶要斷奶為原則撰定。早餐依舊，餵母奶或喝奶瓶都行，然後兩個小時後再來一次「早餐」。「午餐」要在正午，「晚餐」在稍晚的下午。從早餐到晚餐都是以餵母奶或喝奶瓶來收尾。記得每個寶寶都不同，請教你的小兒科醫生什麼才適合你的寶寶。

| 週數 | 早餐 | 午餐 | 晚餐 | 註釋 |
|---|---|---|---|---|
| 一（六個月大） | 洋梨兩茶匙 | 喝奶瓶或餵母奶 | 洋梨兩茶匙 | |
| 二 | 洋梨兩茶匙 | 喝奶瓶或餵母奶 | 洋梨兩茶匙 | |
| 三 | 南瓜兩茶匙 | 喝奶瓶或餵母奶 | 洋梨兩茶匙 | |
| 四 | 甜馬鈴薯兩茶匙 | 南瓜兩茶匙 | 洋梨兩茶匙 | |
| 五（七個月大） | 燕麥粥四茶匙 | 南瓜四茶匙 | 洋梨四茶匙 | 因應寶寶的成長需要調整食量 |
| 六 | 燕麥粥和洋梨各四茶匙 | 南瓜八茶匙 | 燕麥粥和甜馬鈴薯各四茶匙 | 現在一餐內可吃一種以上的食物 |
| 七 | 洋梨八茶匙 | 燕麥粥和南瓜各四茶匙 | 燕麥粥和洋梨各四茶匙 | |
| 八（八個月大） | 香蕉 | 從這時起，可以混合搭配上述的食物，每一週再介紹她一種上列的新食物，每餐八～十二茶匙 | | |
| 九 | 胡蘿蔔 | | | |
| 十 | 洋梨 | | | |
| 十一 | 青豆 | 可以繼續混合搭配上述的食物，每一週再介紹她一種上列的新食物，每餐八～十二茶匙 | | |
| 十二（九個月大） | 蘋果 | | | |

## 哺乳的難題解決指引

| 問題 | 徵兆 | 該做什麼 |
|---|---|---|
| 充血：乳房腫脹。有時候是乳汁，但是更多時候是其他流質過剩——血液、淋巴液、水——沈澱在末端，特別是剖腹產後。 | 乳房硬硬的、熱熱的、腫脹，也可能會伴隨類似流行性感冒的症狀——發燒、感到畏寒、夜晚會出汗，可能導致寶寶很難含住乳頭，而引發乳頭的疼痛。 | 用熱的、濕的的布包住乳房；做舉手過肩的運動（像丟擲棒球的動作），在餵母奶之前，每兩個小時重複五次，也動一動手腳。如果二十四小時內情況都沒有改善的話，就去看醫生。 |
| 輸乳管堵塞：乳汁凍結在輸乳管，像是鬆軟的白乾酪一樣。 | 乳房局部會有腫塊，一碰就會痛。 | 如果不加以處理，可能會導致乳腺炎（稍後會提到）。提供一些熱力，對腫塊做圓圈式的輕撫，慢慢的往乳頭的方向前進。想像自己正在按摩一塊凍住的白乾酪，試著讓它變成牛奶。 |
| 乳房疼痛 | 乳頭可能破皮、潰傷、敏感或是充血發紅；在兩次餵母奶中間或餵母奶中，會有明顯的水泡、發熱、流血、疼痛。 | 在餵母奶頭幾天這是很正常的現象，當寶寶開始規律的吸吮後，這些症狀就會消失。如果還是持續不舒服，表示寶寶沒有正確的吸奶。可以去請教哺育專家。 |
| 催產素過多 | 在餵母奶時，因為產生了「愛的賀爾蒙」，媽媽會變的想睡——和高潮時產生的賀爾蒙是一樣的。 | 沒有確實可預防的方法，不過在兩次餵母奶當中多點休息，也許是個好主意。 |

| 頭痛 | 發生在餵母奶中或餵母奶結束後，因為腦下垂體分泌了催產素和泌乳素。 | 如果情況持續，去看醫生尋求醫學上的諮詢。 |
| --- | --- | --- |
| 疹子 | 全身都有，像蜂巢一樣。 | 對催產素過敏的反應。通常會建議使用抗組胺劑，但是先和醫生商量過。 |
| 子宮頸感染 | 乳房疼痛發炎，或是你感覺有灼熱感；寶寶可能會有尿布疹，紅紅的斑塊。 | 請教醫生。你們兩個可能對此感染都需要醫療；寶寶的屁股需要擦藥膏，別把這擦在你的胸部上——那會使你的腺體堵塞。 |
| 乳腺炎：乳腺發炎 | 乳房上有不規則的紅線；乳房熱熱的；也有類似流行性感冒的症狀。 | 即刻去看醫生。 |

Part 5

# 嬰兒的活動

嬰兒和幼童會思考、觀察、推論。他們會細想證據，做出推論，進行實驗，解決問題，找出答案。當然，他們並不像科學家那樣以自我意識的方法去執行。他們試著去解決的問題是司空見慣的問題，是關於人、物體、話語的顯像，而不是晦澀難解的星辰跟原子。但是，甚至連最幼小的嬰兒，都對這世界知道很多，也努力地希望了解更多。

——摘自《搖籃裡的科學家》

## 清醒的時刻

對新生兒來說，每一天都是驚奇。嬰兒從子宮裡出來的那一刻開始，就以驚人的速度在成長，就像他們探索、享受周遭環境的能力一樣。我們可以從嬰兒的活動看到這些改變，活動在這裡的定義是嬰兒清醒時運用到一種以上的感官所做的事。

嬰兒的感覺在子宮裡時就開始發展。科學家推測，嬰兒誕生時就能認出媽媽的聲音，因爲他們曾經聽過，只是在子宮裡聲音較小。一旦他們來到這個世界，五種感官會依照這個順序變的敏銳：聽覺、觸覺、視覺、嗅覺、味覺。也許對你而言，在更衣桌上換尿布或穿衣服、洗澡或按摩、盯著行動電話看、抓取塡充玩具，並不是了不得的活動，但是就是透過這種種的努力，嬰兒不僅讓感官變的敏銳，也在學習他們是誰、世界又是怎麼一回事。

有關如何發揮嬰兒的潛能，在近幾年有很多論述。從誕生開始，有專家就建議給嬰兒一個組織過的環境，讓他有好的開始。父母絕對是小孩的第一個老師，我不太關注教導給嬰兒哪些知識，而是去激勵他們天生的好奇心和教化他們——就是是幫助他們了解世界如何運行、如何和其他人互動。

最後，我鼓勵父母思考嬰兒所從事的活動，是不是能培養他們的安全感、獨立的機會。這兩個目標似乎看起來不一致，但的確是同時並存的。不管幾歲的小孩，如果他們越感到安全，他們就越勇於探索世界、不需要協助或外在的干擾就能娛樂自己（除非他們身歷險境）。所以，在E.A.S.Y.中的A就提供這個看似對立的論調：活動幫助我們束縛了寶寶，但是也幫我們替寶寶上了自由的第一課。

你該爲寶寶做的比你所理解的少。並不是說把他一個人扔在那兒，而是要取得一個平衡——導引寶寶、資助她的需要，同時，也尊重她的自然發展。事實是，甚至不需要你的協助，當寶寶醒著時，他聆聽、感覺、觀看、嗅到、或品嚐某樣東西。特別是在清晨，樣樣事都新鮮（某些寶寶會感到驚慌），你最重要的任務就是確定每一種經驗都讓寶寶覺得舒服——而且足夠安全，讓他想繼續探索跟成長。要做到這樣，就要去創造出我所謂的「尊重範圍」。

## 制訂尊重範圍

不管你是在早晨把寶寶抱離嬰兒床、替她洗澡、和她玩躲貓貓，你得謹記她是獨立的個體，你需要專注和尊重，但也讓她依照自己的想法行動。我希望你試著去想像，在寶寶周圍畫一道線，一個他個人空間的疆界。沒得到允許，不能隨意侵入。告訴他你爲什麼要進入，解釋你要做的事。這聽起來也許不自然或愚蠢，但是記得他不只是嬰兒——他也是一個人。在這章會詳細說明這些原則並搭配實例講解，將下列基本原則記在心裡，在寶寶活動時，你就能簡單、自然地保持尊重的範圍。

◎陪伴寶寶。活動的時候，將注意力放在寶寶身上。這讓你們結合成特別的關係，所以要專注。不要講電話、擔心衣服還沒洗、或是思索要截稿的報導。

◎可以逗寶寶開心，但是要避免過度刺激。我並非建議停止唱歌給寶寶聽、讓他們聽音樂、看一些色彩鮮豔的東西、甚至是買玩具給他們，但是少一點，寶寶會更感興趣。

◎讓寶寶身處一個有趣、愉悅、安全的環境中。這些不會花大錢，只需要運用你的常識。

◎培養寶寶的獨立。這聽起來似乎違反直覺——寶寶怎麼獨立呢？我不是說你得離開他。當然，他沒辦法樣樣靠自己，但是你可以幫他獲得冒險、探索、自個兒玩耍的信心。因此，當寶寶在嬉戲時，觀察比去和他互動來的好。

◎記得是要和寶寶對話，而不是對他說話。對話隱含的是雙向的過程：當寶寶參與某個活動時，你觀察、傾聽、等待她的回應。如果她試著邀你加入，就和她一起分享。如果她「要求」換個景觀，請誠實面對她的需求，不然，就放手讓她去探索。

◎去吸引、鼓舞，但是要讓寶寶主導。不要讓寶寶處於無法自行掌控的境界。給寶寶的玩具不要超出她的「學習範圍（learning triangle）」。

在從寶寶起床到晚上入睡這段時間

## 嬰兒知道的比你所以為的還要多

近廿年來，主要得感謝錄影帶成就大部分的奇蹟，讓嬰兒研究者可以發現嬰兒如何處理事情。我們曾經以為嬰兒是「一張白紙」，現在我們知道新生兒帶著敏銳的感官來到世上，而且很快就擴展許多能力，讓他們可以觀察、思考、甚至推論。藉由嬰兒的臉部表情、肢體語言、眼球的轉動、本能的吸吮（當興奮時，會吸的用力一點），科學家證實嬰兒驚人的能力。下列有一些科學發現，在這一章，你也可以發現更多嬰兒驚人的能力。

◎嬰兒可以區別不同的影像。早在一九六四年，科學家就發現嬰兒不會長時間的盯著重複的影像，新影像馬上就能吸引到嬰兒的目光。

◎嬰兒會跟著輕快地搖動。他們會跟著你聲音的語調，富韻律地咿咿呀呀、微笑、做手勢。

◎三個月大的嬰兒就會有期望。在實驗研究裡，當看過一系列的視覺影像後，嬰兒可以察覺那些模式，會移動眼睛預測出下一個影像，這意味他們在期待它。

◎嬰兒能夠記憶。五週大的嬰兒就會記住事情。在某個研究，有一群嬰兒（六至四十週大）在三歲時又被帶回同一個實驗室，雖然他們沒有用言語敘述早先經驗的記憶，但是所有人都對被要求做以前曾做過的任務感到熟悉（在黑暗中與光亮中伸手去拿東西）。

內，將以上的原則記在心裡。記得寶寶需要私人空間。接下來，我將帶你遨遊穿梭於寶寶的一天，你就知道爲什麼要記住這些原則。

## 醒醒，該起床了！

如果每個早晨，在你好夢正甜的時候，你的伙伴進入臥室，猛然拉起你的棉被，你會喜歡這樣嗎？假設他又向你大喊：「快點，該起床了！」那不會讓你嚇一跳、想發火嗎？如果父母沒用心開啓新的一天，寶寶就是那樣覺得的。

當你早晨迎向寶寶時，溫柔、安靜一點，也可以唱首輕柔的歌叫他起床。在抱起他之前，先告訴他一聲，小憩醒來時也像像早晨起床時一樣。

當然，不管用什麼方式和寶寶道早安，寶寶有自己的想法。就像成人一樣，寶寶起床的反應都不同。有些會帶著微笑醒來，有些會噘嘴、不高興，甚至大哭，有些馬上就準備好迎接新的一天，有些則需要別人的鼓舞。以下是對不同典型的嬰兒可以期望的大略反應：

天使型。這類的嬰兒對於身處的環境總覺得高興，永遠掛著笑容、輕聲低語。除非特別餓或是尿布濕透了，他們會滿足地在嬰兒床裡玩耍，直到有人來抱。換句話說，他們很少超過起床的第一級警報（請看下頁）。

教科書型。如果拉起第一級警報時你沒出現，他們會開始發出意味著「趕快過來」的第二級警報的輕微聲響，讓你知道他們起床了，如果你進來說道「我在這裡」，他們就沒事了，如果你還是沒出現，他們就會開始發出清晰、響亮的第三級警報。

敏感型。這類的小嬰兒總是一醒來就哭。因為他們需要安慰，所以他們一起床，你很快的就可以聽見連續的三種警報。他們沒辦法忍受獨自待在嬰兒床裡超過五分鐘，如果在第一級或第二級警報時你還沒出現，他們就快崩潰了。

性情乖戾型。因為他們不喜歡濕濕的或不舒服的感覺，你一樣也是很快就會聽見他們的三種警報。不用想要在起床時哄他們笑——你可以倒立或翻跟斗，但這些小傢伙仍然不會露出笑容的。

活潑型。這類嬰兒非常好動、精力旺盛，通常會略過第一級警告，直接跳到第二級。他們會緊張、侷促不安，發出小聲咳般的哭聲，如果這時沒人出現，就會演變成大哭。

有趣的是，你所看到的嬰兒的起床行為，在長大後依然是如此。還記得我安靜的蘇菲嗎？有許多早晨，我甚至擔心她是不是停止呼吸了。現在的蘇菲在早晨顯得愉悅，很容易就醒來、離開床。她姊姊，一個活潑寶寶，醒來常常煩躁不安，需要一些時間才能真正醒過來。不像蘇菲，馬上就融入早晨時光，莎拉喜歡我先讓她說話，而不是我的低語來讓一天開始。

## 起床的三種警告訊號

有些嬰兒起床後會自行消遣，從來就不會進入第一級警報——他們會心滿意足地待在嬰兒床裡，直到有人來抱他。有些很快就連續發出三種警報，不管你有多快速就到達現場。

第一級：發出咯吱咯吱、緊張的聲音，顯得煩躁不安。表示「哈囉？有人在嗎？怎麼不來抱我？」

第二級：像咳嗽一樣的哭聲。當他們停止哭時，是在找尋你的聲音。當你沒有出現，他們在說「喂，趕快來。」

第三級：放聲大哭，手腳揮舞。「現在馬上來！我是認真的！」

## 換尿布和換穿衣服

就像我之前所提到的，我都會要求準爸媽在我的課程上，閉上眼睛、躺在地上，然後，在沒有任何警告下，我會選定某個男性，抬起他的腿，伸向他的頭頂，不用說，他肯定受到驚嚇，當其他人知道我所做的事後，都覺得很有趣，全班哄堂大笑，此時我會解釋這個遊戲的用意：當你沒有任何警告或說明，就替寶寶換尿布時，他的感覺大約就是如此。實際上，你已經侵犯他的尊重範圍。相反的，如果我先說明，他不但可做好準備迎接我的觸碰，同時也知道我有考慮他的感受。我這樣對待嬰兒。

研究者注意到，嬰兒的大腦認知到被觸摸約莫要花三秒鐘的時間。對一個嬰兒而言，腳被突然往上抬，讓身體有了高低起伏、可以去擦拭他的臀部，是很可怕的提議，比在他肚臍上抹冷冷的酒精更加的行不通。研究也顯示，嬰兒的嗅覺很敏感。甚至是新生兒，都會對浸泡酒精的醫用海綿別過頭去，因爲味道難聞。一週大的嬰兒就能分辨媽媽身上的味道。把這些組合在一起，你就能了解，當嬰兒的領域被侵犯，他確實知道有事發生了，只是他沒辦法去表達出來。

事實上，大多數嬰兒在換尿布時都會哭，因爲他們不知道發生什麼事，或是他們不喜歡這樣——一點也不。我是指，讓嬰兒處於易受傷、暴露的姿勢——腳張開，就像你在婦科裡張開雙腿內診時是什麼感覺呢？我總是告訴醫生：「你得告訴我你要做什麼。」嬰兒還無法用言語表達，請我們慢一點或是尊重他的私人空間，所以他們用哭泣來表示。

某個媽媽告訴我：「愛德華討厭換尿布的桌子。」我告訴她「親愛的，他不是討厭那張桌子，他只是不喜歡在那上頭發生的事。你得再放鬆一點，和他說說話。」此外，換尿布時，就像其他所有活動一樣，你得專心於手邊的事，不要用肩膀夾著電話談天——你在向寶寶表示：「我忽視你。」

當我替嬰兒換尿布時，我都會試著維持從容的對話。我會彎下腰，讓臉距離嬰兒的臉約卅公分——面對面，不是斜斜的角度，因爲這樣嬰兒看得比較清楚。過程中我會這樣對他說：「現在要幫你換尿布了。讓你躺在這，才能替你脫褲褲。」我會繼續說話，讓他知道我在做些什麼。對於小女娃兒，我會小心的從前往後擦；而小男娃兒，我會在陰莖上放張面紙，以防小便噴到臉上。如果嬰兒開始哭，我會問「是不是太急了？我把速度放慢一點。」

提示：當嬰兒赤裸時，把你的手溫柔的放在他胸前，或是擺個玩偶、或輕一點的塡充玩具在那。這一點點的額外重量，會讓他覺得少裸露一點、安全一點。

## 尿布VS.紙尿布

雖然尿布可以重複使用，但是大多數的父母還是偏好用過即丟的紙尿布。這是個人選擇問題，但是我比較喜歡尿布，因為它們比較便宜、對嬰兒的臀部而言比較柔軟舒適、也比較具有環保概念。

也有些嬰兒對紙尿布上那些吸水分子過敏，常常會跟尿布疹搞混。差別在於，尿布疹是局部的，常常是在肛門周圍；而因為過敏起的疹子，會涵蓋整個尿布包裹的部分，甚至延伸到腰部。

紙尿布的另外一個問題是它的吸水功能很好，似乎只有性情乖戾的嬰兒才知道尿布已經濕了。有些幼童到三歲還學不會自己上廁所，有時是因為紙尿布讓他們感覺不到濕了。

使用尿布得注意一件事：對於尿布是否濕了要提高警覺，不然會導致尿布疹。

我得補充說明，換尿布時得將速度加快一點。我看過有人在換有便便的尿布時，花了廿分鐘的時間，實在是太久了。如果，他們在餵食前替寶寶換尿布，花了四十分鐘進食，然後吃飯後又換一次，這樣足足花了一個小時又廿分鐘。已經影響到寶寶的活動時間了，如果寶寶不喜歡換尿布，是因為那種壓力和疲累。

提示：在前三週或四週，買那些可以從前頭解開繩子、或一路撕開扣子的便宜睡衣，會讓你在換尿布時容易一點。在一開始，偶爾尿布會漏。在手邊準備夜晚可能會額外用到的尿布，不但節省時間也消除焦慮。

你可能花幾週的時間才學到竅門，但是你得努力只花五分鐘換尿布。關鍵在於每件事都準備就緒——上頭放乳液、蓋子打開，打開尿布、準備滑進寶寶臀部下，關尿布妖怪的籠子或是垃圾桶打開以備丟棄髒尿布之需。

提示：當你第一次替寶寶換尿布，滑進一片乾淨的尿布在寶寶臀部下，打開有便便的尿布，不要馬上移開，除非你已經把生殖器、肛門附近都擦拭乾淨，當你擦完後，移開髒尿布，乾淨的尿布就在它該在的地方囉！

## 太多玩具／太多刺激

好了，寶寶吃過第一餐，換上乾淨的尿布，是玩耍的時候了。這時候也讓父母常感到困惑。有些父母太小看寶寶玩耍的重要性，不了解當寶寶凝視時、或是因爲眼前的哄騙、玩具、搖動的物體而極其瘋狂時，許多學習其實正在發生。太看重玩耍也不好。從我所遇見的父母來看，大多犯了以下的錯誤——太過複雜混亂，這也是爲什麼我常會接到像小梅這樣的電話，她有個三週大的寶寶瑟琳娜。

她懇求問道：「崔西，瑟琳娜到底怎麼了？」我可以聽到寶寶尖叫，還有煩惱的爸爸溫戴爾的聲音，拚命地想要安撫她。我說：「慢慢來，告訴我她哭之前發生了什麼事。」

小梅無辜地說：「她只是在玩而已。」

「玩什麼？」提醒你一下，我們談的是三週大的嬰兒，不是學步的小孩。

「我們讓她盪一下鞦韆，但是她開始緊張不安，所以我們抱她下來，讓她坐在椅子上。」

「然後呢？」

「她也不喜歡，所以我們讓她坐在毯子上，然後溫戴爾試著說故事給她聽。現在我們知道她累了，可是她還是不肯睡覺。」

小梅漏掉了一些事——可能因爲她覺得那不相關——盪鞦韆的時候會有音樂流洩；椅子會震動；毯子是個新玩意，是靠近寶寶頭部地方飄動的鮮亮的紅白黑交錯的旗子；更重要的是，爸爸拿了隻會動的兔子靠近她的臉。你認爲我太誇張了嗎？絕對不會。我看過太多這種類似的情況了。

我溫和地說：「我猜想你的小丫頭只是被過度刺激，」我指出可憐的寶寶所經歷的環境——從嬰兒的觀點來看，就像是在迪士尼樂園玩了一整天！

他們抗議：「但是她喜歡她的玩具啊。」

千萬不要跟父母爭辯，我向他們提議我的基本原則：把那些會擺動、搖動、抖動、扭動、咯咯叫、吱吱叫的東西都收好。試三天看看，看看寶寶是不是會平靜下來。（除非有其他差錯，她通常都會平靜下來。）

不幸的是，現今大多數父母是文化的受害者。嬰兒用品儼然發展成爲一個新興行業。每年有上億的廣告預算來說服我們得替寶寶營造適當的「環境」，而父母大量吸收這種訊息。他們認爲如果沒有時常逗樂寶寶，會造成她的弱點，因爲沒有得到足夠的「智力刺激」。如果有父母並不這樣做，他們的朋友也會說：「你說你沒替瑟琳娜在門口擺個跳躍寶寶？」小梅和溫戴爾的朋友會這樣指責，好像不這麼做，他們女兒就長不大似的。簡直是一派胡言！

當然，我們應該讓小孩聽音樂、唱歌給他們聽，讓他們看色彩鮮豔的東西，甚至是買玩具給他們。但是一旦我們做得太多，讓寶寶有太多選擇時，寶寶會被過度刺激。要他們離開舒適的子宮，進入光線十足的產房，難度是很高的。這一路上，他們遇見外科手術儀器、藥物、還

**影響寶寶的事項**

◎聽覺：說話、嗡嗡聲、唱歌、心跳、音樂
◎視覺：黑白紙牌、有條紋的東西、活動的物體、臉、環境
◎觸覺：撫摸、抱抱、按摩、水、棉球／布
◎嗅覺：飯菜香、香水、香料
◎味覺：牛奶、其他食物
◎活動：振動、被抱、被背起、搖擺乘坐（嬰兒車、汽車）

有一隻手對他們拉拉扯扯，通常他們到達後，第二隻手會跟著出現。就像我在第一章所說的，每個嬰兒都是獨一無二的，但是幾乎每個嬰兒都得經歷這樣的混亂。對於一些更敏感的嬰兒，出生這件事就超過他們能承受的範圍了。

我還要附加說明，你家裡的光線、聲音——電視、收音機、寵物、經過的汽車、吸塵器、還有其他數不盡的器具都有影響。你的聲音也是癥結所在，它隱含你的焦慮，父母的聲音、其他拜訪者的低語聲，天啊！如果你是個滿佈神經、肌肉，不到五公斤重的人，簡直是有太多感知需要處理了。然後媽媽或爸爸又在面前哄你玩。這已經足以使天使寶寶哭泣了。

## 在學習範圍之內玩耍

我所謂的玩耍，得視嬰兒所能做的而定。現在，大部分的書籍都有說明什麼年紀該玩些什麼的準則，但是我卻不表同意。並不是說這些指引沒有幫助，知道不同年紀的典型玩法其實是很好的。事實上，那是我用來安排媽咪與我的課程的指標——新生兒至三個月、三至六個月、六至九個月、九個月到滿周歲。只是我遇見的父母，並不了解在一群孩童中，每個嬰兒的能力以及覺悟力有著驚人的差異。在我的課堂上不斷出現這樣的狀況，事情就是這樣，其中一位媽媽不知從哪裡讀到，她五個月大的寶寶應該要會翻身了，她很驚恐。因爲寶寶老是躺著，她告訴我說：「崔西，他一定是發展遲緩，我該怎麼幫他讓

**迷思：讓他們習慣家裡的聲音**

父母常被告知，要讓寶寶習慣大聲響。我問你，如果我在半夜走進你房裡，在你熟睡時大聲放音樂，你喜歡嗎？一點也不尊重你。難道對寶寶就可以這樣想嗎？

他學會翻身呢？」

我並不認為該以任何方式去施加壓力。我總是告訴父母他們的寶寶是獨一無二的個體，書上所顯示的統計不能當作個人習性的考量。那樣的基準只能當作是參考。你的寶寶一定會到達每一個學習發展的高原，但是得視他自己的時間來進行。

此外，嬰兒又不是狗，你無法去「訓練」他們。尊重你的寶寶，意指允許他自由發展，沒有任何唆使，如果不像朋友的寶寶或書上所說的發展一樣，也不用怕害。讓他自己作主。大自然自有她一套美好具邏輯的計畫。如果在寶寶尚未就緒前，就幫寶寶翻身，她也不會因此就學得快一點。實際上，他尚未翻身是因為還沒發展出這樣的生理能力去做這件事。如果去催促他，你會不小心讓他的生活更有壓力，而不是原本該有的樣子。

因此，我建議父母請跟隨寶寶的學習範圍——讓寶寶呈現現在能運行的生理、心理任務，並從中得到樂趣就好。例如，幾乎我所拜訪過的新生兒，房裡都儲備有波浪鼓——銀的、塑膠的、O形的、桿鈴型的。沒有一個適合寶寶，因為他還不會抓取。父母會拿著在寶寶面前搖擺，但是並不是寶寶在玩。記住我說的基本原則：當寶寶在玩玩具時，去觀察而不是去介入。

要知道什麼才適合寶寶的學習範圍，花時間去思考寶寶的所作所為——他能做些什麼。換句話說，不要去看書上說的什麼年紀該做什麼的準則，看你的寶寶就夠了。如果你有依照他的學習範圍，他自然會依自己的速度來獲取該有的知識。

## 從第一天起

甚至是研究者也不可能知道嬰兒能夠理解的正確時機，所以當嬰兒出生的那天起，你應該

◎解釋每一件替寶寶所做的事
◎說說你每天的活動
◎讓他看家族照以及用名字來稱呼大家
◎指出及確認物體（「看到那狗狗嗎？」「看，那個寶寶，就像你一樣。」）
◎讀一些簡單的書給她聽、讓她看圖片
◎聽音樂跟唱歌（請看《成長音樂》專欄）

### 成長音樂

嬰兒喜歡音樂，但是一樣得符合他的年齡。在我的親子課程的最後，我都會放以下這些音樂：

至三個月大：我只放催眠曲——輕柔、令人寬心的音樂，沒有像童謠那些叮叮噹噹的聲音。如果你的聲音甜美，也可以自己唱。

六個月大：我只播放一首歌作為結尾，通常是簡單的兒歌。

九個月大：我會放三首兒歌，但是每首只放一次。

十二個月大：加入一首新歌，總共是四首，每一首重複放兩次。而且可以混合一些手勢。

他主要是在觀察和聆聽。大概開始的六至八週，嬰兒是聽覺和視覺的生物，但是對周遭環境會日益機敏。雖然他只能看清楚廿至卅公分這樣的距離，他可以感覺你、對你微笑或低語。花時間去「回應」他。有文獻證明，出生的嬰兒可以辨別人類的臉龐、聲音和其他景觀、聲響的不同——而且他們比較偏好人類。過幾天，他們就能辨識熟悉的臉孔和聲音，會望向他們，而不是不熟悉的影像。

當寶寶不花時間注視你的臉孔時，你會發現她有特殊偏好，喜歡凝視線條。對他而言，直線看起來像是在移動，因爲他的視網膜還沒固定。你不用花費去買一些花稍、閃動的卡片來逗樂他，用黑色麥克筆在白紙上畫上直線就可以。這些會提供給寶寶焦點，這是很重要的，因爲寶寶的視覺還是模糊、缺乏深度的。

對於新生兒而言，我會建議在嬰兒床裡只要放一、兩個玩具就好。當寶寶不再注視它時，就調換一下位置。要當心顏色的影響——原色（紅、黃、藍）會刺激寶寶，柔和的色彩能讓他們平靜下來。特定的時間可以選擇顏色製造期望的效果。例如，寶寶準備睡覺前，不要讓他看紅黑閃動的卡片。

寶寶可以控制頭部和頸部了。嬰兒會轉頭通常是在第二個月，會從這邊轉到另一邊，甚至可能可以把頭抬高一點（通常是在第三個月），對於眼睛的控制也比較好，你可能會看到他在看自己的手。在實驗室，甚至滿月的嬰兒就能模仿臉部表情——如果成人將舌頭伸出，嬰兒也會跟著做；如果成人張開嘴巴，嬰兒也張開嘴巴。約八週大的時候，寶寶可以看到東西的立體感。寶寶姿勢會挺直，大多時間手會張開，能捉住自己的手，大多是因爲偶然。她也開始會記憶並能更正確地預測接下來將發生的事。事實上，兩個月大時，寶寶就能夠認識並記住前一天見到的人。當他看到你的時候，會高興地擺動，當你經過房間時，視線會跟著你移動。

直線條能逗樂新生兒或滿月的嬰兒，但是八週大時，讓他們發笑的則是臉的圖畫。現在，你可以讓自製的閃動卡片豐富一些，畫一些波浪狀的線條、圓圈、簡單的圖畫像是房子、笑臉。也可以在嬰兒床裡放個鏡子，當他笑時，鏡子裡的影像也會對他笑。然而要記得，雖然寶寶喜歡盯著東西看，可是當他看夠了，卻沒有機動性可以移開已經沒興趣的東西。父母要警覺一點，假使他開始發出暴躁不安、緊張的聲音時，那就表示「我看夠了」。在他大哭前，趕快去解救他。

寶寶可以伸手拿、握住。大概嬰兒三或四個月大時會著迷於能伸、能捉取——對任何東西都一樣，包括自己的身體。每樣東西他都會直接放進嘴巴。寶寶現在也能抬起下巴，發出咯咯聲。他最喜歡玩的東西就是你，這也是讓他玩一些簡單、有反應的玩具的好機會，像是波浪鼓、可發出聲音或觸感很好的安全東西。嬰兒喜歡去探索，當有反應時她會更興奮。看看寶寶搖波浪鼓的樣子，眼睛會張的很大。寶寶現在能夠理解原因和結果，所以能發出聲音的東西會讓他們有成就感。他現在比起以前回應會更多——你會因爲他持續不斷低聲叫而高興——從現在起，凡事都會越來越好。當他覺得玩夠了，也知道如何去吸引你的注意，他會將玩具丟掉，發出小小的咳嗽聲或是暴躁地小哭一下。

寶寶會翻身了。有能力翻向一邊，約發生在三個月大到五個月大之間，嬰兒開始發展機動性。在你知道前，寶寶會兩邊翻來翻去，樂趣橫生。他仍然喜歡發出聲音的玩具，也可以給他一些日常生活會用到的東西，像是湯匙。這些簡單的東西是他無盡樂趣的資源。看他玩塑膠盤子，他會把它翻來翻去，推開、再捉住它。像個小科學家，持續不斷的探索。她也喜歡玩小模型，立方體、球。藉由把它們放進嘴巴，寶寶可以發現它們是什麼、感覺它們的差異。從研究知道，很小的嬰兒可以用嘴去辨認形狀。就像只有一個月大的嬰兒在研究室裡，可以將視覺和觸覺相配對。當給寶寶一個粗糙不平的奶嘴或是一個平滑的奶嘴，在他們面前展示粗糙不平和平滑的物體，他們會看著那個和他們所吸吮的形狀相同的圖片較久。

寶寶可以坐起來。除非寶寶成長到能習慣他們的頭部，否則沒辦法坐起來，通常要到六個月大時，在這之前，他們的頭部會較重。當寶寶能自己坐起來，也開始發展他們的深度知覺。畢竟，坐著所看到的世界和躺著時所看到的差異很大。現在她也可以把東西從這手換到另一手，可以指著東西、可以做手勢。他的好奇心會驅使他向物體靠近，但是這項生理機能則尚未發展很完全。讓他自己去探索吧！這個時期，他可以控制他的頭、手、軀幹，但是還沒辦法控制腳。所以他可能會往前傾，撲向他要的東西，但是結果以胸部著地，頭部還是重了一點。他的手腳會在空氣中舞動，好像在飛一樣。父母總是在寶寶發出緊張的聲音時，就趕緊把他在追逐的玩具給他，而不是等一會兒、觀察一下。我會說等一下，不要馬上把玩具給他，可以去鼓勵他，說「做得好，你就快拿到了。」可以鼓舞他的信心。發揮一下你的判斷力，你又不是在教導他參加奧林匹克，只要給他一些親子間的鼓勵。等他追累了，再把玩具給他就好了。

給他可以加強行動的玩具，像是小丑、或是當他按下右邊的按鈕或啓動桿時箱子裡的旗子就會砰地一聲飛起來的那種，因爲嬰兒喜歡自己可以操控某些事情的發生。在這時你可能會想買很多玩具，稍爲克制一下，要記住少即是多，很多你想買的東西並不能讓寶寶覺得歡樂。事實上，當我聽到寶寶這個年紀的父母說：「我的寶寶不喜歡這個玩具」時，我都會輕聲一笑。他們並不了解，這不是喜不喜歡的問題——寶寶只是不了解那個玩具而已，他不知道該怎麼讓它動起來。

寶寶可以移動了。當嬰兒開始會爬行，通常是八至十個月間，這時得在房子裡做保護兒童安全的措施，這樣就可以提供他足夠的機會去探索。你的小寶寶這時也可能會讓自己停下來。有些嬰兒開始會往後爬或是繞圈圈，因爲這時他們的腿能爬行、可是身體還不夠長或強壯足以撐起頭部的重量。此外，好奇心會和身體的發展一起進行。在這之前，嬰兒沒辦法認知處理較複雜的想法——例如這樣去想：我想要在房間那頭的玩具，所以我得這樣做以到達那裡。現在這一切都會發生。

一旦他同時可以把焦點放在不同的目標上時，爬行的嬰兒就會變的像忙碌的蜜蜂一樣。他不再能只安分地坐在你的膝上。他還是喜歡抱抱，但是首先他得去探索、消耗一些他的精力。他會找到一些可製造出聲音的新方法——也製造了新麻煩。最好的玩具就是能鼓勵他去組合又拆掉的。當然，他開始越來越精通於破壞——他會拿出每樣東西、但是很少放回去。最後，大約十個月到滿歲，他開始學會收拾，甚至會把地板上的玩具收進玩具箱裡。開始可以揀起一些小東西，因爲運動神經正在發展，讓他用拇指和食指像鉗子一樣熟練地抓東西。也喜歡滾動玩具，那些可以滾向自己方向的。她也開始會鍾愛某個特定的玩具，像是塡充玩具動物或是喜歡的毯子。

提示：確定嬰兒玩的每樣東西都可以洗、堅固耐用，沒有尖尖的稜角或是會鬆掉而可能被吞下去的繩結。太小的東西，可能會被寶寶吞食，也許會卡在喉嚨，或是被塞進耳朵或鼻子。

現在當你放兒歌時，還可以加上一些動作，寶寶可以模仿。歌曲和旋律能夠教導嬰兒語言和協調性。這個時期，寶寶最熱衷的遊戲就是躲貓貓了，可以讓寶寶了解物體的恆常性。這點很重要，因爲當寶寶學會這個觀念，就能了解當你到另一個房間去時，你並不是消失了，你也可以說「我馬上就回來」來加強。讓家裡的日常品成爲寶寶玩耍的東西，而且有創意地去使用。湯匙和盤子或是茶壺可以拿來製造聲音。濾鍋是躲貓貓時很好的防護罩。

當寶寶發展生理和心理的所有技能時，記住她是個體，不用像別人的寶寶的發展一樣。也許他做的更多、或是以不同的方式。就像其他人一樣，他有自己的表現風格、喜好。觀察她，從她所做的事去了解她是怎樣的人，而不是試著去讓她成爲你所期盼的人。只要她覺得安全、被支持、被喜愛，她就會成長爲一個令人驚奇且獨一無二的小傢伙。她會持續不斷的變化，每天都會學習新技能，總是能讓你大吃一驚。

## 要不要保護寶寶的安全？

保護兒童安全是一個較複雜的議題。你希望寶寶可以遠離危險，像是中毒、燒傷、燙傷、溺水、切到自己、或是從樓梯上滾下去。你也希望家裡有一些防護措施，可以避免好奇寶寶有潛在性的危險。問題是，做到何種程度才適當？一個養育子女的產業正在成型中。有個媽媽最近告訴我，她花了美金四千元在家裡做了防護措施——自稱是寶寶安全防護師的人跑到她家，將看得見的櫥櫃全都裝上了鎖，包括他兒子未來八到十年也沒辦法搆到的櫥櫃！他還向這媽媽說，在某些地方裝上門，讓寶寶無法到達。我偏好簡單、便宜一點的作法。例如，合宜的玩耍範圍大約是九平方公尺，可以用枕頭或緩衝物圍一個防護線。

此外，如果你從家裡移走太多東西，就剝奪寶寶探索的機會，也錯過可以教導他從錯誤中學習的時機。讓我跟你分享在我生活中發生的故事。

當我女兒都還小時，爲了在家裡做兒童安全防護措施，我把危險的化學品移走、鎖上不想讓他們去探索的房門，也告訴別人這些預防措施。同時，我也告訴我女兒要尊重我的領地。關於客廳裡矮架上的活動木雕像，我們有一個小小的協議。當莎拉開始會爬行時，對每樣東西都很好奇，有一天，我發現那些雕像吸引她的視線，不等她去抓取那些雕像，我站到她面前對她說：「這些東西是媽媽的，當我和你一起在這裡時，你可以去碰它，但那不是玩具。」

莎拉就像其他小孩一樣，試驗了我好幾次。她畫出捉取這些雕像的最短路線，但是每當她快搆到時，我就會用一種輕快但堅定的音調說：「不行，不能摸，那是媽媽的——它不是玩具。」如果她堅持，我會簡潔地說：「不行！」三天之內，她就很少再注意到那些小雕像。對她妹妹蘇菲，我也是採取一樣的方式。幾年後，我朋友也生了一個小男孩，曾經來找蘇菲一塊玩。在他家，每個矮架都是空的，因爲他媽媽把看的到能夠搆到的東西全都移走了。不用說，他肯定想對我的雕像大大進攻一番。我試著用當初我對莎拉的方法，卻沒有辦法阻止他。最後，我有點憤怒地說「不行！」他媽媽害怕地看著我說：「崔西，我們從不對喬治說不行。」

我說：「親愛的，也許該開始說不了。我不能讓他去破壞那些我女兒知道不能碰的東西。此外，這也不是喬治的錯——是你，因爲你沒有教他分清楚自己的和別人的東西。」

這個故事的啓示很簡單：如果你移走所有寶寶搆得到的東西，他就學不會去尊重家裡美麗但脆弱的東西，當他到別人家裡去時，也就不知如何是好。此外，你也就不會像喬治的媽媽一樣感到受傷害

——當別的父母告知你的寶寶有些東西、有些地方是不能接近時。

我總是建議不要理會寶寶的安全範圍。當寶寶要求要某樣東西時，就讓他去，讓他去感覺、去操作，但是要在你的視線範圍之內。有趣的是寶寶對成人的東西不感興趣，因為我們的小擺設只會坐在架子上，什麼也不會做。一旦寶寶允許去觸碰某個物體時，他很快就會對這個東西感到無趣，他的眼睛又會去搜尋其他東西，然後放下手上的往新目標邁進。

提示：花幾天的時間，就可以教會寶寶有些東西不能碰，但是你可能得在房

## 保護兒童安全的基本原則

竅門在於用孩子的視線來掃視家裡，趴下來爬行家裡一周！以下是那些你想預防的危險處。

◎中毒。移開在廚房及浴室水槽下的清潔劑及其他有毒的物品，放到較高的櫥櫃去。除非你將櫥櫃的門栓上，但是萬一較強壯或聰明的幼童解開了呢？你敢冒這個險嗎？買一個急救箱。如果你認為寶寶喝下了有毒的東西，在採取任何動作前，先打電話給你的小兒科醫生或報警。

◎空氣污染。偶爾檢查家裡，是不是有些放射的氣體。裝置檢測煙霧和一氧化碳的機器。定時檢查機器是否運轉。禁止吸煙，也不允許任何人在你的家裡或車子裡抽煙。

◎窒息。把一些布幔、人力不能控制的繩索像是電線，加上一些釘子或護條，以免讓寶寶碰到。

◎觸電。每一個插座都有安全防護，確定每一盞燈都有燈泡。

◎溺水。不要讓寶寶獨自一人在浴缸裡。廁所也要上鎖。寶寶依然頭重腳輕，很可能會掉進水盆裡。

◎燒燙傷。裝置火爐調節器的防護套。確定水龍頭有防護套，塑膠的（大多五金行都有賣）或在上頭包毛巾都行，防止寶寶被水管燙到，更嚴重的是甚至會撞到頭部。把水溫設定在攝氏四十八度，避免燙傷。

◎失足掉落的意外。一旦寶寶開始變得活躍好動，如果你仍然使用更衣桌，隨時都要有隻手抓著、兩隻眼睛盯著她。在樓梯的兩頭都裝上門，不要因此放心，當寶寶開始學習爬樓梯時，都要隨時陪在她身旁。對於向上爬她是個佼佼者，但是她不知道該如何下樓。

子裡的不同地方、對著不同物品，重複這些事情。在教導過程中，也許你不想去承擔我所冒的風險，因此，可以把那些你很珍貴、鍾愛的裝飾品換成廉價的小玩意。

記得，你的寶寶會以爲錄放影機卡匣是個可愛的信箱，她會覺得那是個放手指、餅乾、塞得進去的東西的好地方。不用擔心，蓋起來就好。寶寶會對你的東西感興趣，可以去買一些小的仿製品，舉例來說，寶寶喜歡玩旋鈕和按鈕，就可以買類似電視遙控器或收音機的玩具——他能操作的東西。畢竟，他對於破壞房子或是毀破設備並不感興趣，他只是想要模仿你所做的事。

## 放鬆一下

經過一整天辛苦地吃飯、睡覺、玩耍，寶寶需要透過洗澡來好好休息、放鬆一下。事實上，當嬰兒二或三週大時，你會發現他在傍晚比平常來的煩躁。當他活動日益增多、對周圍環境的理解更多時，他需要從一整天的刺激中平靜下來。洗澡可以在下午五點或六點進食後進行，在他最後一次打嗝的十五分鐘後。當然，一天當中的任何時間都可以替寶寶洗澡，對我來說最理想的時間是睡覺前，因爲那是放鬆的最好方式。這通常也是養育小孩最特別的經驗之一，大概是爸爸最喜歡做的事。

除了在前三個月討厭洗澡的敏感寶寶，還有只是在忍受洗澡的性情乖戾寶寶外，其他大多的寶寶都喜歡洗澡——如果你慢慢來，依照我「洗澡一〇一」裡按部就班的指示。

嬰兒的第一次洗澡大概是在第十四天時，這時臍帶會斷落，有割包皮的寶寶傷口也復原了。在這

之前，只要幫寶寶用海綿擦浴。不管是哪一種方式，以嬰兒的立場用心去觀看這個體驗。這應該是一段有趣、互動的時間，至少持續十五至廿分鐘。就像換衣服或包尿布一樣，要尊重對方。要記得寶寶這時感到容易受傷，試著去採取最溫柔的方式。

## 海綿擦浴的指示

◎準備好所有需要的東西——浴巾、溫水、酒精、棉花球、藥膏、還有毛巾，放在手邊，隨時可以使用。

◎讓寶寶被溫暖的包裹著。從頭到腳一次清洗一個部位，拍乾後，再繼續。

◎用一條小毛巾去清潔鼠蹊部，擦乾的順序是從生殖器到肛門。

◎用棉花球清潔眼睛，一隻眼睛一個棉花球，從眼角往外向鼻子的方向擦去。

◎用浸泡過酒精的棉花球來清潔其他部位。從右邊開始往底部洗去。寶寶有時候會哭，並不是受傷，只是覺得冷。

◎如果小男孩有割包皮，讓傷口保持濕潤，爲了避免被尿液弄到，在上頭抹凡士林，然後蓋個紗布或棉花。不要在寶寶的陰莖上灑水，除非傷口已經痊癒。

當替寶寶洗過澡要穿衣服時，不要使勁把T恤套過他的頭、手套進袖子裡。嬰兒的頭很重——直到約八個月大時，嬰兒的頭的重量是體重的三分之二，當你要替他將衣服套過頭部時，他的頭會晃來晃去。當你要哄他把手套進袖子時，他也會反抗，因爲他習慣那樣的胎姿，直覺的往後伸，讓手靠近身體。讓衣服從寶寶的手腕套進去，而不是從身體。

要避免這種情形，我極力主張不要買要套頭的衣服。買可以從胸前穿脫的、連身的衣服，或是在肩膀上有魔鬼氈，一撕即可。以簡單、方便為著眼點，而不是衣服的風格。

如果已經依照下列指示，但是寶寶在洗澡時還是會哭，可能是因為寶寶的敏感度及性格，而不是你做錯事。如果寶寶洗澡時總覺得痛苦，最好是等幾天再試試看。如果依然沮喪，有可能是因為是敏感寶寶，在第一或第二個月都幫她用海綿擦浴就好。你得耐心去解讀。

**T恤的兩難**

如果你已經買了要套過寶寶頭部的衣服，這有一些避免戰爭的最好方法。

◎讓他背朝下躺臥。

◎拉開衣物、將領口的地方撐大。從下巴開始，很快的穿過他的臉，套向後腦。

◎將手指穿過袖孔去拉寶寶的手，將之穿過袖孔，就像在穿針一樣。

## 洗澡一〇一：簡介十個步驟

以下就是我教導客戶替寶寶洗澡的步驟。每一個步驟都很重要。甚至在你開始前，就準備好所有東西，這樣在你將滑溜溜的寶寶抱出水裡時，才能將笨拙程度減到最低。順帶一提的是，我知道有些人告訴你可以幫寶寶在廚房的水槽洗澡，但是我還是偏好在浴室——那原本就是洗澡的地方。

當你照著這些步驟時，記得也要和寶寶保持對談。持續說話。傾聽跟觀察他的反應，不斷告訴他你正在做的事。

1．調整心情。確定房間很溫暖（攝氏廿三度）。放些輕柔的音樂。

2．讓盆子裝滿三分之二的水。把少量的嬰兒沐浴乳直接放進水裡。水溫大約是攝氏卅八度，比寶寶的體溫略高一點。不要用你的手、要用手腕內側去測試溫度，水溫感覺應是溫的，而非熱的。因爲嬰兒的肌膚比你的更敏感。

3．抱起寶寶。將右手手掌放在寶寶胸前，三隻手指在他左邊的胳肢窩下，拇指和食指在他胸前。（如果你是左撇子就反過來）把你的左手滑進他脖子和肩膀後面，輕輕將他的身體往前傾，把他的重心放到你的右手上。現在把左手放到他的屁股下、往上提。讓他頭靠著你的右手，採取坐姿，稍稍往前傾，坐在你的左手上。不要讓嬰兒從背部落水。這會讓嬰兒失去方向感，就像在跳板上往後跳一樣。

4．讓他進入澡盆。讓寶寶用坐姿慢慢進入水裡，腳先入水，然後是屁股。然後把左手放到他的頭部、脖子後方，去支撐他。用很慢很慢的速度讓他的背部入水。現在你的右手就空出來了，拿一條濕毛巾擦拭他的胸部，讓他覺得溫暖。

5．不要用肥皀直接塗抹寶寶的肌膚。記住你已經在水裡加入嬰兒沐浴乳了。用你的手指擦淨他的脖子和鼠蹊部。將他的腳抬高一點點，可以去擦淨他的屁股。拿一些水倒在寶寶身上，把充滿肥皀的水給沖掉。他又沒在沙堆裡玩，並不是眞的很髒。幫他洗澡以建立習慣比清潔來的重要多了。

6．用毛巾擦擦頭部四周幫他洗頭髮。大多寶寶頭髮都不多。就算有很多頭髮，也不必用到洗髮精、潤髮乳。攤開毛巾，將頭皮擦一擦，倒些乾淨的水沖洗，小心不要讓嬰兒眼睛沾到水。絕對不行

**洗澡的必需品**

◎底部平坦的塑膠盆（我喜歡把它架在浴缸上而不是放在地板上，因為對背部來說比較輕鬆而且因為通常浴缸附近有抽屜、架子，要拿東西也比較方便
◎溫暖、乾淨的水
◎液體狀的嬰兒沐浴乳
◎兩條毛巾
◎附頭巾的毛巾或是沒附頭巾的超大浴巾
◎衣服和乾淨的尿布已經放在更衣桌上

讓寶寶獨自在浴缸裡。如果忘記拿嬰兒沐浴乳，這次用清水洗就好，下次記得要準備好所有東西。

7．不要讓他的耳朵進水。確定撐著寶寶背部的手沒有浸在水裡太深。

8．準備好要結束沐浴。用空著的手去抓附頭巾的毛巾（或是沒有附頭巾的超大浴巾）。把頭巾（或是超大浴巾的角角）用牙齒咬著，另一邊用腋下夾著。

9．把寶寶抱出水裡。小心的讓寶寶回復洗澡前的坐姿。她的重心會在你的右手，手指分開，撐著她的胸部。將她往上抬，背部靠近你，將她的頭放在胸前、在頭巾或是大毛巾下一點點的位置。用毛巾將寶寶的身體包住，讓頭巾或是毛巾的角角蓋住她的頭。

10．抱他到更衣桌準備穿衣服。頭三個月按照相同的方式作。重複性會讓她有安全感。依照寶寶的天性，到時不用讓他隨即穿上睡衣，可以幫他按摩一下、讓他放鬆。

## 按摩讓你們緊緊相繫

嬰兒按摩最早的研究是放在早產兒上，證明刺激可以加速大腦和神經系統的發展、促進循環、增強肌肉、降低壓力和過敏。而正常嬰兒也一樣受益。實際上，按摩是一種激勵嬰兒健康和良好生長的方式。儘管還在研究中，我卻親眼目睹它讓嬰兒更加領略觸摸的力量。那些曾經被按摩的嬰兒，在成長至幼童時期，似乎對身體感覺更舒服。我在加州的店裡有開設嬰兒按摩的課程，讓父母有機會去了解寶寶的身體，幫助寶寶放鬆，讓父母和孩子徹底感覺他們之間的關連以及協調。

同時也可以想想嬰兒的感官發展。在子宮裡開始有了聽覺，下一個發展的就是觸覺。出生時，嬰兒同時經驗溫度和觸覺的刺激。他哭著告訴我們「嘿，我感覺到了。」事實上，知覺的發展在情緒之前——嬰兒會覺得熱、冷、痛苦、餓，在他們眞正知道那代表什麼之前。

雖然有些媽媽更早就開始，三個月大時是適合開始幫寶寶按摩的時機。挑個不匆忙、能全神貫注的時間，慢慢開始，讓自己充分融入當中。你不能在過程中加速、或是不認眞的隨便做做。當你第一次嘗試時，不要期盼寶寶會乖乖躺上十五分鐘。先從三分鐘的摩擦開始，再漸漸拉長時間。我喜歡將按摩及傍晚的沐浴結合在一起，因爲寶寶和大人都很放鬆。但只要有空的時候都很適合。

自然的，有些嬰兒比其他人更習慣按摩。天使型、教科書型、活潑型的嬰兒都較快適應。對於敏感型以及性情乖戾型的嬰兒，一開始時得更加緩慢，因爲這些嬰兒對於刺激需要更長的時間才能適應。隨著時間過去，漸漸培養他們的容忍度。敏感型嬰兒可以緩和一下敏感天性，性情乖戾型的嬰兒可以學會去放鬆。按摩甚至可以降低腹絞痛寶寶的緊張。

最成功的按摩故事之一就是提摩西，非常敏感的寶寶，甚至連替他換尿布都很困難。當他媽媽或是我試著放他進澡盆時，他總是會哭，直到六週大時才好好洗了一次澡。提摩西的性情讓他媽媽雷娜感到很沮喪。他爸爸格列格里問有沒有什麼方法讓他可以去分擔一些。他每天晚上十一點會餵寶寶喝母奶，但是其他時間，他都不在家裡。我建議他可以試著幫寶寶洗澡。我總是建議爸爸這樣做。這給他們機會去了解寶寶，一樣重要的是，也讓他們去參與。

格列格里開始慢慢幫他洗澡，最後終於可以讓提摩西進入澡盆。那時我又加了一項任務：按摩。格列格里仔細觀看我一步步按照下面所列的步驟去做。我們很謹愼地進行，讓提摩西習慣我的撫摸、接著是他爸爸的。

提摩西現在快滿周歲了，仍然是個很敏感的寶寶，但是已經有了許多轉變了。他對刺激的容忍度增加，至少有一部分是爸爸在晚上幫他洗澡和按摩的直接效果。當然，媽媽幫他按摩也會有一樣的效果，但是照料敏感寶寶一整天後，雷娜需要休息一下、恢復精神。此外，孩子也需要這些和爸爸結合成特別關係的機會。分享這些親密關係，也培養他們另一種自信。所以當雷娜經由哺乳得到這些親密感時，格列格里也藉由抱抱、和肌膚接觸培養這些類似的情感。

## 按摩的基本原則

可以在地板上或是更衣桌上進行，選一個自己也覺得舒適的姿勢。你也需要：

◎枕頭

◎防水的襯墊

◎兩條蓬鬆的浴巾

◎嬰兒油、植物油或是其他特別調製的嬰兒按摩油（千萬不要使用芳香療法的精油，對寶寶的肌膚來說太強勁了，對他的嗅覺而言也太刺激了）

點子

## 按摩一〇一：十個步驟讓寶寶更加放鬆

就像洗澡一樣，對於按摩我也可以教你十個步驟。確定已經準備好所需要的東西。記住要慢慢的來，在觸碰寶寶前，先告訴他你要做什麼，做每個步驟時都要這樣解釋。如果任何時候寶寶覺得不舒服（不用等到她哭，她會蠕動來告訴你），就是停止按摩的時候。第一次嘗試時，不要期待寶寶會乖乖躺在那兒等著被全身按摩。你必須一次增加一點點。一開始只撫摸兩、三分鐘，幾週後或是更大後，就能增長到十五或廿分鐘。

1．確定環境合宜。房間要保持溫暖，約攝氏廿三度，沒有通風裝置。放一些柔和的音樂。你的「按摩桌」要鋪有防水的襯墊，上頭放個枕頭，再鋪一條蓬鬆的浴巾。

2．準備好去體驗。確定能全心投入後，把手洗乾淨，做幾個深呼吸以放鬆。然後替寶寶做準備。讓他躺下，和他說話，向他解釋正要給他來個全身按摩。解釋完要做的事後，倒一些油在手上，輕輕摩擦手掌讓油溫暖。

3．得到寶寶允許。從腳開始，慢慢往上到頭部。在撫摸寶寶前，先解釋現在要把他的腳抬高一點點，開始撫摸腳底。

4．從腿和腳開始。對他的腳，採取拇指運動——用一根拇指慢慢從腳往上摩擦，再換成另一根拇指，也是一樣的方向移動。溫柔撫摸他的腳底、腳後跟。按摩腳底每一處。微妙地觸碰每一根腳指。一直按摩到接近足踝的地方。在足踝附近畫小圈圈。當往上到腿部時，溫柔地做「搓繩索」的動作：用手輕輕包住寶寶的腿。一手往左、一手往右的來回搓揉，「扭轉」寶寶的肌膚和肌肉，促進腿部循環。再換另一腿這樣做。然後將手滑進寶寶屁股下，按摩他的屁股，讓腳自然下垂。

5．接著是腹部。將手放在寶寶的腹部，溫柔地往外移動。用兩根大拇指，輕柔地從胃部往外撫去。讓手指從胃部「游移」到胸部。

6．胸部。用兩根食指勾勒圈圈——從胸部開始一直到肚臍結束。再用右手畫半圓形，以順時鐘方向往上直到胸部，接著左手往下以順時鐘方向畫半圓形，重複幾次。接著做心形移動——把所有手指都放在胸部上，置於胸骨的中心，溫柔的勾勒出心形，往下到肚臍的位置結束。

7．手臂和手。按摩手臂下方時，做搓繩索的動作，接著張開手按摩雙臂。到手部上方時，在手腕附近畫小圈圈。

8．臉部。對待臉部時要加倍溫柔。按摩前額和眉毛，用拇指撫摸眼睛四周。往下經過鼻子，來回按摩雙頰，從耳朵、上唇、下唇再回頭。在下巴和耳後畫小圈圈。摩擦他的耳垂和下顎。現在輕柔地將他翻過身去。

9．頭部和背部。在後腦勺和肩膀畫圈圈。用來回的動作，上上下下撫摸他。沿著和脊柱平行的背部肌肉畫小圈圈。讓你的手在她的軀體上旅行，從頭到背到屁股再到足踝。

10．結束按摩並對寶寶說：「親愛的，按摩完了，是不是覺得舒服一點呢？」

如果你每次都按照順序來，寶寶就會期待這個體驗。要尊重寶寶的感覺。我只能保證，如果能讓寶寶適應觸碰的樂趣，長期不但有益處，要讓他入睡也會更簡單一點——下一章我們將談的主題。

Part 6

# 睡覺，可能會哭

當我一想到我永遠不能好好休息這個念頭時，
我幾乎沒辦法連續照顧新生兒兩週。
當然啦，也許不是永遠。
我還抱著一絲絲的希望，也許當孩子上大學後，我就可以徹夜好眠了。我能確定的是，在他的嬰兒時期，我是不可能好好睡覺的。

——珊蒂．坎恩．薛爾頓
《徹夜好眠及其他謊言》

## 乖寶寶，好好睡

在嬰兒剛出生的那段日子，睡覺是他們最常做的一件事，在第一週，有些嬰兒甚至一天睡二十三個小時！當嬰兒睡覺時，大腦正忙著在製造新的腦細胞，那是心理、生理、情緒發展所需要的。更確切的說，嬰兒如果有好好的休息，就像我們睡了一場好覺、適時打個盹一樣：會變的靈活、專心、放鬆。他們會吃的好、玩的盡興，有無窮的精力，在他們的世界裡和別人互動良好。

相反來說，如果嬰兒睡的不好，就沒有辦法獲得能讓他運作良好的神經系統。會變的暴躁不安、協調不良，沒辦法專心好好去吸母奶或是喝奶瓶，也沒有精力去探索世界。最糟的是，太過疲累又毀了她的睡眠。因爲不好的睡眠習慣會不斷循環。有些嬰兒因爲太過疲累以致他們的生理沒辦法放鬆、或是入睡。只有當他們眞的是累到極點，最後終於睡著了。看到嬰兒如此興奮又沮喪、不得不自我尖叫以封鎖外在世界好讓自己入睡，是一件很痛苦的事。甚至更糟的是，當嬰兒終於睡著時，其實睡眠是斷斷續續的，有時甚至少於廿分鐘，所以總是暴躁不安。

這些現象都是很明顯的。但是很多人並不了解嬰兒需要父母的引導，幫助他們建立良好的睡眠習慣。事實上，導致這些睡眠問題的理由都很普通，因爲父母不了解是他們、而不是嬰兒去控制睡眠。

這一章，我想分享我對睡眠的想法，許多可能會和你所讀到或聽到的有所矛盾。我會幫助你學會如何在過度疲累前發現它，以及如果你錯失了先機該如何處理。我也會教你如何幫助寶寶入睡，還有許多方法去克服入睡的困難，以免變成根深柢固、持續不斷的問題。

## 棄絕一時的風尚：合情合理的睡眠方式

每個人對於如何讓嬰兒入睡，以及嬰兒不睡時的處置，都自有一套方法。我不會去調查幾十年前的風尚，但是目前有兩種明顯不同的學派正俘虜了父母（及媒體）的注意。其中一派是支持同床共枕的，家庭床、或稱之為席爾思式睡眠（Sears method），由加州的小兒科醫生威廉・席爾思(William Sears)博士所倡導，他認為寶寶可以在父母床上一起睡，直到他們自己要求要有自己的床睡。理由在於孩子需要在睡眠時光發展積極的夥伴關係（我非常同意），而最好的方式就是去擁抱、依偎、搖晃、按摩直到寶寶睡著（我無法認同）。席爾思顯然是對此方法最直言不諱的提倡者，在一九九八《孩童雜誌（*Child*）》一篇文章裡告訴記者說：「為什麼父母會把寶寶放在有欄杆的盒子裡，讓他一人處於黑暗的房間中？」

其他支持家庭床哲學的人常會以巴里島的哺育文化作為引證，在那裡，寶寶不滿三個月是絕不能碰地板的。（我們又不住在巴里島）國際哺育母乳協會建議如果寶寶今天過的不好，媽媽應該陪在他床上，給他所需要的額外觸碰和教養。全是為了「培養特別關係」和「安全感」，所以這些要父母放棄生活、私人空間、所需的睡眠等風俗似乎一點都沒錯。為了讓這個作法奏效，擁護家庭床的佩特・易理安（Pat Yearian）引述《女性的藝術：哺乳（*the Womanly Art of Breastfeeding*）》，建議那些不高興的父母改變他們的觀感：「如果你能把你的心理狀態調整成對〔你的寶寶總是不斷吵醒你〕有更高的接受度，你就會發現更能去享受夜晚當寶寶需要抱抱、陪伴時那些寧靜的時刻，大一點的幼童只是需要有人作伴。」

另一個極端學派就是提倡延遲回應法，常常被稱之爲「費伯法（Ferberizing）」，是由在波士頓孩童醫院小兒睡眠失調中心主任理查·費伯（Richard Ferber）博士所提倡。他的理論認爲不好的睡眠習慣是學習而來，所以一樣可以經由學習去將之遺忘（我非常同意）。爲了要達到這樣的目標，他建議父母在寶寶還醒著時，就將她們放在她們的嬰兒床，教導她們如何自己入睡（這點我也同意）。然而，當寶寶不但沒有漸漸睡著，反而哭泣時，其實是在說「讓我離開這裡」，費伯建議放任寶寶哭泣，且放任哭泣的時間越拉越長——第一晚五分鐘、隔天十分鐘、然後十五分鐘、這樣接著下去（這就是費伯博士和我分裂的原因）。費伯博士在《孩童雜誌》裡的引述解釋道：「當小孩子想玩危險的東西時，我們會說不行、設定一些規範讓他們感到猶豫……教導他在夜晚也要遵守規則是一樣的道理。他最大的關注就是好好睡上一覺。」

顯然的，兩個學派的思維都有它的長處在，這些提倡的專家都受過高等教育、有很好的憑證。令人不解的是，每一種方法所引發的議題常常被激烈的辯論。也許你已經是其中一派的成員。如果這些方法之一對你、寶寶、你們的生活有效的話，就繼續維持下去。麻煩在於，打電話來求救的人通常對兩種方式都已經厭倦。典型的情節是父母其中一人一開始被家庭床這個方法所吸引，於是向他的另一半「推銷」這個觀念。畢竟，這只是一個浪漫的想法，和寶寶一起睡就跟當初的情況（懷孕）一樣，也預期半夜的餵食比較容易。一開始大家都興致勃勃，夫妻倆決定不要買嬰兒床，但是幾個月或一些時日後，父母爲了注意不要搖晃到寶寶，用睡眠換取高度警戒，或是因爲對寶寶半夜所發出的每一個聲音都極端敏感而無法好好睡覺，蜜月結束了。

寶寶大約每兩個小時就醒來一次，需要有人去注意。有些寶寶只要去拍拍他或撫摸他就又睡著了；有些則以爲該玩樂了。最後父母可能會輪流守護——一晚睡床，一晚到客房去補眠。但是萬一一開始不是雙方都百分之百願意這樣去做，懷疑的那一方一定會開始忿忿不平。這時當然就是費伯法最吸引人的時機。

所以父母買了張嬰兒床，決定寶寶這時該有自己的床了。想想從寶寶的立場來看，這是多麼巨大的改變：「爸爸媽媽幾個月來都歡迎我在他們的床上睡，會抱抱我，逗我開心，然後砰的一聲！隔天，我被遺棄了，被留在大廳旁的房間裡，這裡的擺飾好陌生，我是不是走丟了。我不知道什麼是監獄，也不害怕黑暗，因爲我還不懂，但是我想知道『大家都到哪去了？那些在我身旁溫暖的人呢？』所以我開始哭，因爲那是我要求的方法，我一直不斷的哭了又哭，可是沒有人來。最後，他們終於來了。他們拍拍我，告訴我要乖乖的，然後又回去睡他們的覺。但是沒有人教我該怎麼自己入睡。我只是個寶寶而已！」

我想說的重點是，這些極端的方法對大多數人都不管用，當然對那些請我協助的寶寶更不用說。所以我還是偏好在一開始就採取中庸之道，用常識來著手，即我所稱的合情合理的睡眠方式。

## 什麼是合情合理的睡眠方式？

合情合理的睡眠方式是一種對抗極端的觀點。你會發現我的哲理混合兩個學派的思維，但是依然認爲放任哭泣的理論沒考慮到寶寶，而家庭床的想法等於忽視父母。相反的，合情合理的睡眠方式則是全家總動員的方式，顧及了每個人的需求。我的想法是，寶寶需要學會如何自己入睡，在她們的嬰兒床需要覺得安全、安心，但是當他們感到痛苦時，仍需要我們的慰藉。如果我們不將次要需求記在心裡，那麼首要需求也不會如償所願。同時，父母本身和彼此之間也需要適當的休息，生活不該全是寶寶。但是他們也需要奉獻出時間、精力、專注在寶寶身上。這兩個目標並不互相違背。要達到如此，將下列合情合理睡眠方式的基本要點都記在心裡。這一章，我將解釋如何處理E.A.S.Y.中的S，每一個準則都將以實例解釋。

決定了就放手去做。如果你一開始被同床共枕這個主意所吸引，好好想一想。那是你所希望的情況嗎？在未來的三個月、六個月，甚至更久一點的時間？記住，你所做的每一件事，寶寶都在學習。因此，當你將他抱在胸前或是搖晃他四十分鐘來讓他入睡，其實你正在訓練他這種入睡的方式。一旦你這樣做了，你就得有好長一段時間得抱著搖他的心理準備。

獨立不是被忽視。當我向生產完不久的父母說「我們希望幫助她變的獨立」時，他們有時會詫異的看著我，「獨立？崔西，她才剛出生幾個小時。」「那你希望什麼時候開始？」這是無人能回答的問題，連科學家也不行，因爲我們不清楚嬰兒何時能眞正理解這個世界或是發展處理環境的技能。所以我才說，現在就開始。然而，所謂培養他獨立，並不是指放任他哭泣，而是去滿足他的需要，包括在他哭時抱抱他，因爲，他正試著在向你說些什麼，同時，當需要被滿足後，也隨即放他下來。

不介入的觀察。當我向你說到和寶寶玩耍時，你大概馬上就會想到這點。睡覺也是一樣的道理。

寶寶每回睡覺也是會經歷預料中的循環。父母需要了解這點，才不會匆忙介入。我們需要稍待一會兒，讓寶寶自行入睡，而不是去打斷他的自然規律。

不要讓寶寶依賴道具。所謂道具是指任何器材或是干預的動作，一旦缺少時，寶寶就會覺得苦惱。如果我們讓他習慣爸爸的胸膛、卅分鐘的摟抱或是吸吮媽媽的乳頭才能入睡，我們就無法期待寶寶會學會自己入睡。就像我在第四章所說的，我贊成用安撫奶嘴，但是不是隨手用來哄騙寶寶的。首先，在寶寶嘴裡塞個奶嘴或其他東西來讓他安靜，就不是個尊重的作法。而且，當我們這樣做，或是抱他、搖他、摟他爲了讓他入睡，其實是養成他去依賴這些道具，剝奪他學習自我慰藉的機會，也讓他沒法學會自己入睡。

順帶一提，道具和寶寶所接受並喜愛的塡充玩具動物或毯子等過渡對象是不同的。大部分的寶寶不到七、八個月大是不會這樣做的——在此之前，「愛慕附屬品」通常是父母導致的。當然，如果寶寶對摟抱喜愛的玩具感到舒服，就讓他這樣無妨。但是我反對只是爲了讓他安靜而給他任何物品。相對的，讓他去發現能讓他自己平靜下來的方法。

逐漸養成入睡和小憩的習慣。每次睡覺和小憩時的

## 睡覺的類型

雖然入睡的過程中有可預期的三個時期（下一頁），知道寶寶如何漸漸睡著是很重要的。如果這個循環沒有被大人打斷，天使嬰兒和教科書嬰兒很容易就會自己入睡。

對於傾向崩潰的敏感嬰兒，你得特別注意，一旦你錯失她的表態，她會變的很興奮，很難再放鬆下來。

活潑嬰兒傾向煩躁不安，你也許需要封鎖她的視覺刺激。有時候會變的很古怪，累的時候會睜大雙眼，像是有火柴棒撐著她的眼皮似的。

性情乖戾嬰兒會煩惱一會兒，但是他通常是很樂於小睡一下的。

作法必須都一致。就像我一再強調的，嬰兒是個習慣的動物。他們喜歡知道接下來會發生什麼，研究證實甚至是很年幼的嬰兒都被制約去期待將發生的特別刺激是可預期的。

了解你的寶寶如何入睡。這裡提供讓嬰兒入睡的「方法」的主要缺點是，沒有一樣是適合每個人的。因此，雖然我提供了父母許多指南，像是在嬰兒入睡前會經歷的三個時期，我總是建議父母把握機會去了解寶寶。

最好的方法就是寫下睡眠日誌。一早開始，就寫下起床的時間，對一天當中的小憩做紀錄。記下他睡覺和半夜醒過來的時間。就算她的小憩毫無規律，四天的日誌就足夠讓你了解寶寶的睡覺習性。

就像梅西，她確定無法繪製八個月大的狄倫白天的睡覺習慣：「崔西，他小憩的時間從不相同。」但是記錄四天後，梅西發現狄倫特有的習性，她就可以規劃自己的日子，同樣重要的是，也幫助她了解寶寶的情緒。她可以依照狄倫的自然生理週期去規劃他的一天，也確保狄倫有適當的休息。每當狄倫顯的煩躁，她都能更快的做出回應，因爲她知道狄倫何時想要小憩一下。

**睡覺三部曲**

每次嬰兒入睡都會經歷這三個時期。整個過程大約費時廿分鐘。

第一部曲：發出訊號。嬰兒不會說「我累了」，但是她會打哈欠或是顯示其他疲累的訊號。打第三個哈欠時，讓他上床。如果沒有的話，她會開始大哭，而不是進入下一部曲。

第二部曲：進入備戰。這個時候，嬰兒會固定、專注的凝視，我稱之為「目不轉睛」——持續三、四分鐘。她的眼睛張開，但是不是真的在看，她正在某處神遊呢。

第三部曲：放任他去。現在嬰兒像是坐在車上打盹：眼睛閉上，頭往前或側邊搖晃。就在看起來像是要睡著的時候，眼睛又突然睜開，頭會猛的往後盪，整個身子顛簸了一下。眼睛閉上，又開始重複一樣的情況，約三至五次之多，直到進入夢鄉。

## 睡眠之道

睡覺是一種學習的過程，得靠父母創始和增強。所以，他們必須教導嬰兒如何入睡。這也是合情合理睡眠方式的必經之路。

爲睡覺鋪路。因爲嬰兒不斷成長而且會經由不斷的重複去學習，所以在小憩或睡覺前，我們永遠得做一樣的事、說同樣的話，那樣嬰兒就會知道「喔，這表示我得睡覺了。」凡事依老規矩來，相同的事、一樣的順序。帶他進房間時，保持安靜、低調一點。如果希望她覺得舒服，記得要檢查她是不是該換尿布了。窗簾或百葉窗要拉上。我不會讓嬰兒睡在客廳或廚房，那樣不夠尊重。你會喜歡睡在百貨公司裡，一堆人在你身旁走來走去嗎？當然不會，嬰兒也是一樣。

在路上尋找線索。就像我們一樣，當嬰兒開始累了，也是會打哈欠。人類打哈欠的原因是因爲累了，身體機能運作的效率不好，肺、心臟、血液系統的氧氣供應減少。打哈欠是身體用來吸入更多氧氣的方式。我告訴父母在寶寶的第一個哈欠就行動——如果不是在第一個，至少要在第三個時。如果你錯失了這個暗示，某類型的嬰兒，像是敏感嬰兒，很快就會崩潰了。

提示：用聲音來強調休息的好處。不要把睡覺表現的像是懲罰或是難事。如果孩子曾被告知「你得去小憩一下了」或是「你現在必須去休息」，講話的語氣像是在表達「你被放逐到西伯利亞去了，」他長大之後就會認爲小憩是不好的或是睡覺代表將錯過好玩的事。

接近終點時要放鬆一下。成人喜歡在睡前看書或看電視，幫助自己從一天的活動中將心情調適過來。嬰兒也需要。在就寢前洗個澡，如果超過三個月大，按摩也可以幫助他入睡。甚至在小憩時，我都會放柔和的催眠曲。我會花五分鐘，抱著她坐在搖椅或地板上，給她額外的依偎。如果你喜歡也可以說故事給她聽，或是在她耳邊喃喃低語。這樣做的目的在讓嬰兒平靜下來，而不是讓他睡著。因此，我如果發現他目不轉睛——第二部曲，或是眼睛開始閉上，表示他準備好進入第三部曲，我就不會抱他了。（說床邊故事永不嫌早，但是我通常等到嬰兒約六個月大，比較能專注和坐起來時，才會提議說故事。）

提示：不要在寶寶要睡覺時邀請客人來訪，那樣不公平，寶寶希望也能參與其中。她會看到你的朋友、知道他們要來看她：「嗯……有新面孔，在對我笑耶。什麼？爸媽要我去睡

## 睡覺時間到了的徵兆

就像大人一樣，累了時嬰兒會打哈欠、比較沒辦法集中注意。當他們大了一點，蛻變中的身體會找到新方式來告訴你他們準備好要睡覺了。

可以控制頭部時：當他們變的想睡時，會對物體或人別過頭去，像是試著要關閉世界似的。如果是被抱著，他們會把頭埋進你的胸部。他們會不由自主的動作，手腳揮舞。

可以控制四肢時：疲累的嬰兒可能會揉眼睛、拉耳朵、或是抓臉。

開始可以移動時：嬰兒累了的話會變的較不協調、對玩具失去興趣。如果是被抱著，他們會把背弓起來、往後倒。如果是在嬰兒床裡，他們會移動到角角去，把頭擠在那兒。或是會翻身然後就陷在那，因為翻不回來。

可以爬行和或走動時：大一點的嬰兒累了時，協調不佳是第一個發生的。如果試著去拉他，他會倒下去；如果正在走路，會是蹣跚而行或撞到東西。因為可以完全控制自己的身體，當大人想要放他們下來時，她會緊黏著你不放。在嬰兒床裡會站起來，但是通常不知如何躺下－除非他們摔下去，這情況是經常發生的。

覺，錯失這個盛會？我可不想。」

在她進入夢鄉前，放她在她的嬰兒床上。許多人認爲除非寶寶很快就想睡，不然不能將他放到嬰兒床上。這完全的錯了。在第三部曲一開始就放他在嬰兒床，是幫助寶寶發展自己入睡的技能的最好方式。還有另外一個理由是：當寶寶在你懷裡或是搖椅上睡著，結果在她的嬰兒床醒來，這就等於是我在你睡著時將你的床推到花園裡去一樣。你醒過來、滿懷問號「我在哪裡？怎麼會在這裡的？」對嬰兒而言也一樣，除了他們無法判斷之外，「一定是某人趁我睡著時將我放到這來的。」他們反而變的迷惘、驚慌。最後變成在嬰兒床裡無法感到舒服或安全。

當我放下寶寶時，都會說一樣的話：「我要將你放到你的床上、讓你睡覺，你知道一覺醒來會感到多麼舒適愜意。」我會仔細觀察他。在靜下來之前可能有有一點不安，特別是在經歷三部曲的顛簸時。父母總容易在這個時候介入。有些寶寶會自己平靜下來。要是他哭了，溫柔的、有節奏的拍拍他的背，會讓他安心、他會知道他不是孤獨一人。當他停止不安時，記得要停止拍背——如果你拍的比他所需要的久，他會將拍背與睡覺連結在一起，開始需要拍背才能入睡。

提示：我通常會建議讓嬰兒仰睡。但是如果你有準備圓滾滾的毛巾或是邊邊特製的抱枕讓他靠著，也可以讓他側睡。如果他側睡，爲了舒適起見，要確定不要都側同一邊睡。

通往夢鄉的路如果坑坑窪窪，利用安撫奶嘴去輔助睡眠。在頭三個月我喜歡使用安撫奶嘴——當我們開始在建立慣例的時期。這會讓媽媽免於成為人體安撫奶嘴。同時，我也會注意節制使用，以免寶寶太過依賴。當使用得當，寶寶開頭六、七分鐘會吸的很猛，然後開始漸漸慢下來，最後，會把它吐出來，因為吸吮的精力已經被釋放，正準備要進入夢鄉了。這時，有些好心的大人會進來然後說「喔，我可憐的小寶貝，你的安撫奶嘴掉出來了，」試著要把它塞回去。千萬不要這樣做！如果寶寶需要她的安撫奶嘴來幫助睡眠，她會發出咯咯聲和蠕動來告訴你。

對許多嬰兒來說，如果每次E.A.S.Y.的睡眠你都用上述的方法讓他進入夢鄉，嬰兒對睡覺就會有正面的聯想。不斷重複這個過程會建立安全感和預期性。對於嬰兒很快就學會合情合理睡眠方式的技能，你將大吃一驚。她也會將睡覺當成愉快的經驗一樣的期待著。當然，有時嬰兒會太累、牙痛、或是發燒，但是這些情況是例外、不是常規。

也要記得，嬰兒約花廿分鐘才眞正入睡，不要匆匆想要去介入。如果這樣做了，她會變得煩躁，而且你也打斷了她的自然三部曲。例如，如果在第三部曲被打斷——那會讓他醒來、不睡，一切又得重頭再來。這就跟成人漸漸入睡時電話卻響了劃破寂靜一樣的道理，如果被惹惱了或是過度刺激，有時很難再進入睡眠。對嬰兒來說也是一樣。如果發生了，他自然變得煩躁，循環又得重新開始，又得花另外一個廿分鐘來讓他漸漸入睡。

## 當你錯失了第一部曲所發出的訊號

在一開始，當你尚未眞正熟悉寶寶的哭聲和肢體語言時，可能就是你沒有及時發現寶寶已經在打第三個哈欠。如果你的寶寶是天使型或教科書型，大概不會有太大關係，只要你讓他們感到安心，很快他們又會回到正軌上。但是有些活潑寶寶或是性情乖戾寶寶，特別是敏感寶寶，一旦你忽略了第一部曲，大概就有麻煩了，因爲那時，寶寶已經瀕臨過度疲累了。或者是像我上述所提到的，大聲響可能會嚇到他，打斷他的自然程序，如果他很痛苦，會需要你的幫助。

首先，我要告訴你的是，在各種情況下都不要去做的事：不要對他蹦蹦跳跳或是去搖動他。不要瘋狂的帶他散步或是搖晃他。要記得他已經被過度刺激了。他哭是因爲他已經受夠了，哭泣是他封鎖聲音跟光亮的方式。你不想再做其他事來加重他的負擔吧。此外，這也是壞習慣開始發展的當頭。爸爸或媽媽會帶他散步或搖動他來讓他入睡。當寶寶超過八公斤之後，父母又試著在沒有這些安撫的情況下要他入睡。寶寶從那時開始大哭是可以被理解的，他在表達說「喂，我們平常不是這樣做的。你得搖動我或抱我散步來讓我入睡啊。」

爲了避免這樣的情景出現，以下是你可以幫助寶寶平靜下來、封鎖外在世界的一些舉動。

**大多會發生睡覺問題是因為……**

在睡覺前有下列任何一種情況發生

◎寶寶被緊抱

◎寶寶才散過步

◎寶寶被搖動

◎寶寶被准許在成人胸膛入睡或是……

◎當寶寶愛睏時，父母在寶寶一開始嗚咽時就急忙介入。如果沒有被父母的好心打斷，他可能不一會就自己入睡了。但是他變的已經習慣父母來救助他。

用襁褓將寶寶包起來。離開原來的胎位空間，寶寶還不習慣這樣開放的空間，而且，他們不知道這些手腳是他們的。當他們過度疲累時，你得限制他們的行動，因爲你了解他們的手腳揮舞是因爲害怕光線的消失，還有一大堆的刺激又加諸在已經負荷過重的感官上。用襁褓包住嬰兒是幫助寶寶入睡的最古老方法之一，也許看來有些過時，但是甚至是今日的研究也肯定它的好處。要適當的包住寶寶，將毯子摺成倒立的等腰三角形，讓寶寶躺在上頭，以他的頸部爲界。先讓一隻手以四十五度角置放在胸部上，再將毯子的一角舒適地包著他的身體，另外一邊也是一樣。我建議前六週用襁褓包著，但是過了七週，當寶寶開始試著要將手放進嘴裡時，藉著彎曲手臂幫他將手拿出嘴巴，但是要讓他的手可以接觸、親近他的臉。

讓他放心。讓她知道你在她身邊幫助她。平穩的、速率一致的拍著她的背，仿效心跳的頻率。也可以加上配音，噓……噓……就像寶寶在子宮裡聽到的那樣。聲音保持低沈、鎮靜，對他耳語「沒事的」。當你放他在嬰兒床，如果你有拍背，繼續拍。如果你有模仿讓人感到安心的聲音，也繼續那樣做。這會讓過渡期進行的平順一點。

封鎖視覺刺激。視覺刺激——光線、會移動的物體，會打擊疲累的寶寶，特別是敏感型的寶寶。這就是爲什麼在放寶寶上床前，要把房間的燈關掉，但是對某些寶寶來說，這樣還不夠。當寶寶躺著時，用手遮住他的眼睛（置於其上而不是壓著），以隔離他的視線。如果你抱著她，也要站在一個昏暗的地方，或者如果寶寶很激動的話，就待在一個完全黑暗的密室裡。

不要屈服。當寶寶過度疲累時，爲人父母的是很辛苦的。你得有極大的耐心、決心，特別是當寶寶已經養成壞習慣時。寶寶喊叫時，他們就不斷的拍背，結果哭的更大聲。被過度刺激的寶寶會不斷的哭，高分貝的的哭聲會越來越響亮。然後，暫停一下，又繼續開始。通常，在寶寶平靜前，這樣分貝漸高的情景會上演三次。通常在第二次時父母會聽見，在情急之下，他們又重拾原來撫慰的方法——抱抱他、讓他吸奶、令人生畏的搖晃。

問題在於，一旦你認輸了，寶寶得持續不斷需要你的幫助去入睡。不用多久，寶寶就會變的依賴了——一、兩次就足夠，因爲他的記憶空間不大。如果一開始的出發就是錯的，你每天只是在加強他的負面行爲。我常常接到關於寶寶入睡的求救電話，情況通常是寶寶已經快十公斤重，抱起來很吃力。最大的問題會顯露在寶寶六至八週大時。當父母打電話來時，我總是告訴他們「你得了解事情的來龍去脈，對你促成的壞習慣加以負責。然後經歷艱辛的部分：要有信念、堅忍不拔地幫助寶寶學習新的、更好的方式。」

這需要不斷的去重複：

## 獨立不是被忽略！

我從來不讓嬰兒一人獨自叫喊。相反的，我會去思索嬰兒的表達。如果我不幫她，誰來幫她說話呢？同時，我也不建議當你已經迎合嬰兒的需要時，還去抱他或安慰他。一旦他平靜了，就放他下來。這樣，你才能幫助他獨立。

## 一覺到天亮

提到睡眠，我一定會提到嬰兒開始一覺到天亮的問題。在這部分，你將發現有圖表指引你在嬰兒的不同發展時期，你可以有哪些一般性的期待。記住，雖然這些是以統計的或然率爲基礎的，卻都只是概略的指南。只有教科書嬰兒能正確的吻合（可以貼上標籤的）。嬰兒的睡覺習慣無法遵從一般習慣時，他沒有「錯」——只是代表他跟別人不同。

在開始討論時得提醒你，嬰兒的「一天」是廿四小時。他不知道白天跟夜晚的分別，所以一覺到天亮對他毫無意義，那是你希望（和需要）他做的事。這不會自然發生，你得訓練他去做，教他白天和夜晚的差別。以下是一些我給父母的提示。

利用挖東牆補西牆的原則。毫無疑問的，讓嬰兒養成E.A.S.Y.的慣例，可以幫助他加速一覺到天亮的情況，因爲那是有條理且充滿彈性的慣例。我希望你也能記錄寶寶的進食和小憩，這樣做的話，你能更了解他的需要。舉例來說，如果他在早晨特別煩躁，而且在下一次進食前會睡個半小時，就讓他那樣做（但是時間到的話，你得叫醒他）。但是，你也要去判斷。在白天，不要讓寶寶睡超過一個餵食循環——換句話說，不要超過三個小時——因爲那會剝奪他的晚上睡眠。我保證，如果寶寶在白天不被打擾的睡上六個小時，在晚上決不會睡超過三小時。如果你發現寶寶是這樣睡的話，你就知道現在寶寶的「白天」變成了你的晚上。要讓他調整過來的唯一方式就是叫醒他，所以將寶寶白天的睡眠搶過來，將那些時數轉成晚上的睡眠。

餵他們吃得飽飽的。聽起來表達得很直接，但是讓寶寶一覺到天亮的方法之一，就是塡飽他們的肚子。爲了達成目標，當嬰兒六週大時我建議兩種作法：密集餵食——在睡前每兩小時就餵一次，和我所謂的在睡覺前的夢中餵食。舉例而言，讓寶寶在晚間六點及八點喝奶，夢中餵食在十點半或十一點。夢中餵食字面上的意義就是在睡著夢裡的進食。換句話說，你抱起寶寶，將奶瓶或是乳頭輕輕放在她的下唇，讓他吸食，小心不要吵醒他，當他吃完了，也不必幫助他打嗝，只要把他放下就好。這些時候的進食，寶寶通常都非常放鬆，所以不會吸入過多空氣。你不必說話，也不用替他換衣服或尿布，除非他濕了或髒了。使用這兩種餵飽的技術，大多寶寶都會一覺到天亮，不用再進食，因爲他們已經攝取了足夠的卡路里，可以支撐五、六個小時。

**提示：讓爸爸來做夢中餵食，這時候大多數的男人都回家了，而且很喜歡這個差事。**

使用安撫奶嘴。如果它不會成爲嬰兒依賴的道具，安撫奶嘴可以幫助嬰兒戒絕夜半的餵奶。如果寶寶有五公斤重，在白天或是在晚上六至八點之間（白天約四、五次，晚上密集喝二、三次）至少喝下七百五十至九百毫升的奶，就不需要爲了補充營養在半夜再餵一次。如果他還醒著，只是在利用機會作口部刺激。這就是要小心使用安撫奶嘴的時機。如果寶寶在晚上喝奶約花廿分鐘的時間，當他醒來哭著要找媽媽的乳頭或是奶瓶時，讓他吃五分鐘或三十毫升就換成安撫奶嘴。第一個晚上，在睡著前他可能整整廿分鐘都吃著安撫奶嘴；隔天，可能只需要十分鐘就好；到了第三天，在他夜裡應該進食的時間可能會煩躁不安。如果他醒來，讓他吃安撫奶嘴。換句話說，你以安撫奶嘴來取代奶瓶或乳頭的口部刺激。最後，她就不會再醒過來要吃了。

不要急著介入。嬰兒斷斷續續睡著，這已經是他們能做的最好的了。這就是爲什麼去對每一個你所聽見的小小聲響做出回應是不明智的。就如我在這一章不斷重複的，必須能清楚的劃分回應和營救。父母如果妥當回應，寶寶就不會害怕去探索。父母如果不斷營救，寶寶會開始懷疑自己的能力，沒有發展探索世界或是讓自己覺得舒服所需要的技能。

**嬰兒的睡眠**

嬰兒睡著時就跟成人一樣，會經歷約四十五分鐘的睡眠循環。一開始先進入深層睡眠，跟著變成快速眼動睡眠，是比較淺的睡眠，有一連串的夢，最後變的清醒。這些循環很難被大多數的成人注意到（除非從一個很清晰的夢裡醒來）。通常，我們只是轉個身，又繼續睡，不知道其實我們有醒過。

有些嬰兒情況其實跟這很像。你可能會聽見他們發出的小小抱怨聲——就是我所謂的「幻影寶寶（phantom baby）」聲。只要沒人打擾他們，又會再進入夢鄉。

有些寶寶從快速眼動睡眠醒來後，沒辦法很容易又睡著。通常是因為父母在他們一出生時就總是急匆匆的介入（「喔！你醒啦！」），讓寶寶沒有機會去學習如何進入睡眠的下一循環。

## 會騷擾睡眠的一般原因

儘管已經注意到上述之事，有時睡眠還是免不了會被打擾，讓我們以這個主題來替做結尾。一般乖乖睡的好寶寶也會經歷坐立不安、心神不定的時期，甚至很難入睡。以下是其中一些情況。

開始吃固體食物時。當開始攝取固體食物時，可能會因爲脹氣而醒來。向小兒科醫生請教一下，何時以及何種食物可以介紹給寶寶吃。問清楚哪些食物可能會導致脹氣或過敏。記錄下自己讓寶寶進食的每一種固體食物，當有問題發生時，小兒科醫生就可以知道寶寶的進食史。

開始會移動時。當嬰兒剛剛學會如何去控制行動時，他們的肢體、關節都會有點刺痛。如果你一陣子沒什麼運動，上一趟健身房可能就會讓你體驗類似的情況。甚至當肢體已經停止運動，但是精力還是持續運作。嬰兒的狀況就是如此。他們還不習慣移動。有時候，他們動來動去，卻可能不會回復本來的姿勢，就杵在那。這也會影響他們的睡眠。可能因爲姿勢不同而困惑地醒來。只要進房、用富旋律的低語讓寶寶安心就行。

進入急速成長時。當成長大躍進時，嬰兒有時會餓得醒來。那晚要餵寶寶吃，但是隔天讓他在白天多吃一些。急速成長大約持續兩天，增加寶寶攝取的卡路里通常就能解決對睡眠的困擾。

長牙時。如果是長牙而不是其他問題，他們會流口水、牙床紅紅的、腫腫的，有些還會輕微的發燒。我鍾愛的家庭之一的解決辦法是，將毛巾的一角弄濕，冰在冷凍庫，當凍住了，就讓寶寶吸吮。也可以用嬰兒用的的止痛錠治癒寶寶的疼痛。

尿布髒了時。在暗淡的燈光下替寶寶換尿布，以防寶寶變的躍躍欲試。讓他安心，放他回床上去睡覺。

提示：不論寶寶在半夜的何時醒來、爲了什麼理由，千萬不要和他玩或是表示贊許。要小心處理問題，謹慎一點不要給寶寶任何錯誤的想法。不然的話，他隔夜又會醒過來要找你玩。

我總是在提醒那些擔憂睡眠的父母一件事，不管是什麼議題，都不會是永遠的。如果你能宏觀一點看，就不會將幾天沒睡好看成是大難臨頭了。當然，那是很幸運的：有些寶寶比較簡單就可以入睡。不管你的寶寶是哪一型，至少你都應該有足夠的休息去抵擋這些突發狀況。在下一章，我將介紹你能照顧自己的方式。

Part 7

# 你的時間

就是現在，快一點！當每次你伸手拿這本書時，躺下休息。

現今我們能給你最關鍵性的建議其實很簡單：

可以坐的時候就不要站，可以躺下的時候就不要只是坐著，可以睡的時候絕不要保持清醒。

——薇琪・艾歐文

《女人寫給女人的新手媽咪求生指南》

有時候要為自己想想。

不要一切都以小孩為主，卻從不考慮一下自己。

你得去認識你自己，學習去了解自己，

傾聽自己的聲音，也觀察自己的成長。

——一份由全美家庭意見調查一千一百位媽媽所做的母性報告《當女性成為母親時的想法》

## 我的第一個寶寶

要相信一個人就是去了解他。父母們信賴我的理由之一是因爲我將自己初爲人母的經驗和他們分享。我記得很清楚，當我有了第一個寶寶時的恐懼和失望，我想知道我到底準備的夠不夠充分、我是不是能成爲一個好媽媽。我必須說，我有陣容堅強的支持體系——帶大我的小南，我媽媽，其他無數的親戚、朋友跟鄰居，都準備好可幫忙。但是，當預產期的那一天，仍然有著小小的震撼。

我媽媽和外婆不斷聲稱莎拉多麼漂亮，但是我卻不太確定。我記得當我看著她時在想「哇，她怎麼全身紅通通、皺皺的」，跟我所想像的截然不同。那樣的記憶很鮮明，我現在就可以讓自己感受當時的失望，因爲莎拉的上唇看來並非那麼完美。我可以記得她像羊一樣咩咩叫的聲音，瞪著我的臉看了良久。小南轉向我說「崔西，你得充滿愛意的看著她。一直到你嚥下最後一口氣之前，你都是她的媽媽。」她的話像是對我潑了一盆冷水：我是個媽媽。突然之間，我有那種衝動想要跑開或是至少取消掉這一切。

接下來的日子總是笨手笨腳，有好多的淚水和痛苦。分娩後，我像隻笨拙的青蛙抱著她，腳覺得很痛。因爲助產士將我的頭推向胸部，所以我的肩膀也很痛。我的眼睛也因爲推擠的壓力而感到疼痛，最糟的是，我覺得我的胸部就快要爆炸了。我記得我媽告訴我得馬上哺乳，這個說法眞是嚇到我了。至少小南幫我調整了一個舒服的姿勢，但是實際上我得自己去發現一切事。也就是，學習如何幫莎拉換尿布、安撫她、眞心陪伴她，也要試著留一些時間給自己，一天的時間就這樣過去了。

十八年後，大多的新手媽媽大致都也是這樣的經歷。這並不只是足以讓每個人衰弱的肉體傷口而已，而是精疲力竭，情緒上不適的支離破碎感覺淹沒了你。那是正常的。我並不是在講產後憂鬱（我稍後會提到）；我是在說你需要時間去痊癒，讓你更緊密的待在家裡，可以去了解小寶寶。問題是，有些媽媽在寶寶誕生後就沒有好好進食，就算不危險、也是令人挫敗的論點。

## 兩個女人的故事

要說明我的觀點，讓我和你分享我所共事過的兩個媽媽的故事：黛芬和康妮。兩個都是幹勁十足的女人，做事自動自發，經營事業已經好幾年了。在她們卅幾歲時，兩個人都自然順產，更棒的是她們的寶寶都是天使型的。差別在於——康妮理解當寶寶出生後她的生活會有所改變，而黛芬卻頑固的堅持一切仍然可以和往昔一樣。

康妮。康妮是個室內設計師，在卅五歲時生下她的女兒。天性就比較會去規劃事情（放任／計畫指數大約是4，她有給自己設定一個目標，要在第九個月時完全準備好她的哺育。當我在她生產前去拜訪時，我察覺到她幾乎把每樣東西都收起來，只是因爲要多個寶寶。她知道寶寶加入後，可能沒時間或是慾望想去做飯，雖然她平常很喜歡。康妮也把她冰箱塞的滿滿的。接近預產期時，康妮打電話給所有客戶，讓他們知道萬一有緊急狀況時，會有人去幫忙，但是在未來的兩個月，去幫忙的那個人不會是她。她和寶寶得放在第一位。有趣的是，沒有人拒絕，事實上，他們對她直率的作法感到新鮮且讚許。

因爲康妮跟她的家人關係很親密，當寶寶出生後，可想而知每個人都會來幫忙，就像當初一樣。她媽媽和祖母幫她做飯和家事。她的姊妹幫她處理生意上的事情，甚至去她的辦公室檢查各個不同的企畫案。

安貝拉出生後的第一週，康妮幾乎整天都躺在床上，凝視她的小女孩，試著去了解她。她將平常的速度放慢，給自己很多時間去哺乳。她相信她也需要去照顧自己。當她媽媽離開時，她的冰箱有著滿滿的食物供她使用。連使用烤箱都沒空時，她也有一堆外送的店家菜單可以打電話叫餐。

康妮也很聰明地讓她的先生布斯參與其中。但是我看過一些女人站在先生旁邊指揮，更糟的是，抱怨他們做錯了。康妮知道布斯和她一樣愛安貝拉。也許他將尿布包得鬆鬆的，那又怎樣？她會鼓勵他學習爲人父母。他們會分工合作，尊重各人的領域範圍。結果是布斯覺得他自己是個一起養育的伙伴，而不只是個「幫忙的人」。

讓安貝拉依循有條理的規律也幫助康妮可以去規劃自己的時間。一樣的，她的無數個早晨就這樣過去，就像大多數的新手媽媽一樣：起床後，瞧一下安貝拉需要什麼，洗個澡，換個衣服，轉眼就是午餐時間了。每天下午兩點至五點，康妮會躺下休息。她會小憩、閱讀，或是只是想想事情，她需要一些時間獨處。她不會輕易浪費這段美好時光，只做一些非得處理的事，有留訊息或電話的，她的結論通常是「那是可以等的」。

甚至我離開後，康妮依然可以維持她休息及恢復的慣例。當她打理好一切事情後，她已經預期到我的離開。在好幾週之前，康妮已經列下一堆好朋友的名單，可以每天有一個人在下午來幫來幫她照料寶寶。而且她也已經找到保母，可以在她去辦公室時幫她照顧寶寶。

當安貝拉兩個月大時，康妮開始漸漸將重心調整轉往工作。一開始，只花時間在與客戶聯絡及確定每件事都在軌道上，並沒有處理任何新案子，算是兼差性質而已。直到安貝拉六個月大，康妮也花了不少時間讓保母去了解安貝拉的表達，她開始漸漸延長在辦公室的時間。在那時，康妮了解她女兒，對於自己的養育能力也很自信，而且身體也可以勝任——如果不像以前那樣，至少現在的她也是休息充足且健康的。

現在雖然回復正常上班，康妮在辦公室每個下午還是會打個盹。她最近告訴我「崔西，成爲母親對我來說眞是最棒的，先不管其他理由是什麼，它促使我放慢自己的生活步調。」

黛芬。三十八歲的好萊塢娛樂事務律師。她從醫院還沒回到家的前一小時就在在講電話，卻有好多拜訪者已經在她家等她。一間美麗、配備齊全的育嬰室也已經準備好，但是沒有一樣東西是包裝拆開、準備妥當的。第二天，我無意中聽到黛芬正在安排一項會議，地點是她家的客廳。到了第三天，她就宣布了她的想法「她要回復工作了」。

黛芬有一堆的好友，就像是她的生意一樣，不到一週，她就開始預約許多午餐約會，就好像是在證明有了寶寶完全不會影響她的生活一樣。她差不多是目空一切。「我可以去吃午餐，崔西在這裡，而且我已經請了一個保母。」她和她的教練約好時間且挑選食物，顯然是跟她的體重增加有關，她也想要使用健步機——完美象徵她沒生過寶寶一樣，攀爬成功之梯就是她的生活方式。

黛芬並沒有理解到她有了寶寶。對黛芬而言，分娩是另一個專案——或至少她喜歡這樣去看待。

懷孕對她來說是很辛苦的，正處於「發展」階段，當產品終於誕生——寶寶來臨時，她又可以繼續著手其他事了。

一點也不驚訝，黛芬抓住每一個可以外出的機會。如果有任何差事得做，不管有多普通，她一定自願去做。從不例外的，她總是忘了單子上的（或是故意沒買）一、兩樣東西，就有另外一個藉口再度外出。

頭幾天，在黛芬家就像和颶龍捲風一樣。她試著要哺乳，但是當她知道至少在一開始她得撥出四十分鐘時，她馬上說：「我想應該試試讓他喝奶粉。」現在你知道為什麼我提倡的哺育方式，只要能配合媽媽的生活形態就好，但是我也告知許多應該考慮的因素。在這個例子裡，黛芬只考慮了如何讓自己有更多的時間而已。她宣稱：「我要回到原來的自己。」

同時，她也給她事必躬親、更願意去收拾殘局的可憐的丈夫德克一些混亂的訊息。有時候，她很歡迎他的參與。「我出去時你會看著凱瑞，是吧？」一面說一面飛奔出門。有些時候，她又會批評他抱寶寶或是替寶寶換裝的方式。「你怎麼讓他穿那些衣服？」她會尖銳地詢問，眼睛看著凱瑞的服裝，說道「我媽媽會過來。」可想而知，德克漸漸淡出、比較少參與了。

我試了書裡所提讓黛芬慢下來的任何方法。首先，我沒收電話，一點用也沒，因為她有太多電話還有手機。我命令她在兩點至五點上床休息睡覺，結果她將那段時間用來講電話或讓朋友來拜訪，或者她會安排會議。有一次我和德克密謀將她的車鑰匙藏起來，她找得快發瘋了，最後我們坦承並拒絕讓步，她挑戰說：「沒關係，我可以走路去上班。」

這些都是典型的否定。要不是她所雇用要來取代我的保母沒有出現的話，她可能會繼續堅持下去。只剩兩天，我就要離開了。突然，現實像一堆磚塊砸向她，她徹底崩潰，變得混亂、沮喪，哭了起來。我幫助她了解她只是藉由一連串的活動來掩飾不安。我溫柔地向她保證，她將會是一個好媽媽，只是需要一點時間。她覺得自己無法勝任，是因爲她沒有把握機會去了解兒子或是去學習知道他的需要，並不代表事實就是如此。此外，因爲她沒給自己時間去康復，已經精疲力竭了。她在我懷裡哭泣，最後坦承她最深的恐懼：「我沒辦法做好任何事，但是每個人看來都能處理的很好，我怎麼可以失敗呢？」

我不是故意將黛芬形容的這麼壞。相信我，我常常看到這樣的情景，我很能體會她的想法。有很多媽媽會想去否認，特別是因爲爲人母而離開蓬勃發展、聲望高漲的事業，以及那些超級會計畫的媽媽。當寶寶誕生時，她們本身的生活也消失了。她們想去相信日子還是會一如往昔。爲了不要感受初爲人母的情緒或是坦承她們的恐懼，她們選擇將經歷減到最少。事實上，能力強的媽媽常常問：「帶個寶寶能有多難？」或是「親自哺乳會有多難？」當她們回到家，發現到她們能夠經營一家資本上千億的公司或是透過委員會指導一件很複雜的案子，爲人母親的挑戰卻是她們所料想不到的。所以，部分想要去否認的動機，很明顯的是她們急著去做那些她們知道怎麼做又擅長的事。和當她們第一天帶著寶寶回家所要去做、去學習的事比起來的話，談生意或是和好友午餐是輕鬆愉快的的。

如果媽媽堅持每樣事都得自己親自來的話，也不是件好事。舉裘安來說，來會見我然後宣稱道「我想要自己去發現是怎麼一回事。她不斷地嘗試……兩週後，我接到了一通絕望的電話，裘安坦承；「我精疲力盡了，永遠都在和我的老公貝利爭吵，我也覺得我沒法作一個好媽媽。這一切比我所想像的還要難。」我解釋道，事情並不是這麼多、這麼難。只是比她期望中的工作多了些。我叫她在下午要小憩一下，也給貝利一個機會讓他和他女兒相處。

## 讓自己休息一下

我給那些新手父母在頭幾天或幾週最重要的建議之一就是，要記住，你是個遠比你所想的還要好的父母。許多人並不了解養育是需要學習的一門藝術。她們讀遍了所有書籍，看到媒體的報導，她們認爲自己知道處於什麼樣的狀況中。接著，寶寶出生了。不幸的是，當她們處於學習曲線的起點上，感覺很糟糕，這是不曾經歷過的。這也是我在第四章建議親自哺乳的媽媽遵守我的四十天原則的理由——而且事實是，每個新手媽媽都需要時間去恢復。除了生理上的分娩之外，還得經歷她們從未想過的許多細節，比她們所想像的還要累，而

### 藉口，藉口，通通都是藉口！

從寶寶出生的那一天起，每天都要問自己「今天我要為自己做些什麼？」這裡有一些女性沒有撥些時間給自己的一些合理化說詞，我認為那只是她們的藉口：

「我不能讓寶寶自己獨處。」請親戚或朋友過來幫個一小時。

「沒有一個朋友熟悉寶寶。」邀請她們過來，讓他們知道該做些什麼。

「我沒有時間。」如果你按照我的建議做，一定會有自己的時間。你可能只是沒有將事情的優先順序排好。裝上電話答錄機，不要一直去接電話。

「沒有人會像我一樣這樣照顧寶寶。」一派胡言，你只是在操縱支配而已。此外，當你將自己搞的精疲力盡時，一樣會有人插手干預。

「要是我不在這，有什麼事怎麼辦？」女性傾向掌管一切，一旦發現家裡沒有她們也不會七零八落，會因此而感到震驚。

「當寶寶大一點時，我就會有自己的時間了。」如果你現在不留些時間給自己，你就不會覺得那有多重要。你將喪失自我認同感。

且被自己的情緒所淹沒。親自哺乳的媽媽所面臨的難題在於要學習如何哺乳以及去處理因爲哺乳所引發的問題，這只是使震驚更加複雜。

## 復原的提示單

這些都是很基本的事項，但是很多媽媽都沒將這些記在心裡：

◎飲食。要均衡飲食，一天至少攝取一千五百卡路里，如果親自哺乳的話還要多五百卡路里。不要去擔心體重。冰箱裡要儲存有糧食，手邊隨時有可叫外賣的單子。

◎睡眠。最少每天下午都要午睡，如果可能的話頻繁一點。讓爸爸去照顧一下。

◎運動。至少六週不要使用運動器材或其他訓練。以長時間的散步來代替。

◎留給自己一些時間。要求配偶、親戚、或是朋友來幫個忙，這樣才能真正的「下班」一下。

◎不要許下無法遵守的承諾。讓其他人知道至少一個月或兩個月，你可能都會很忙。如果你已經讓自己太忙，去懇求取消：「對不起，我低估了有寶寶後的狀況。」

◎排出優先順序。把不是那麼需要的從單子上刪除。

◎計畫。選出幾個保母；設計菜單；列出購買清單，這樣一週買一次就夠了。如果要參加寶寶出生前的活動，像是一週一次的讀書會，和配偶、親戚、或好朋友商量一下。

◎知道自己的極限。累了就躺下休息，餓了就吃，煩躁時就離開房間！

◎請求幫忙。沒有人可以獨力完成這一切。

◎花些時間和另一半或好朋友相處。不要將所有時間都花在寶寶身上。每分每秒都跟著寶寶是不切實際的。

◎寵愛自己。可以的話，經常去按摩（讓熟悉產後身體的人做）、做臉、修指甲和足部保養。

即使是像先前曾經在護理學校當了五年老師的蓋兒，發現她自己對增加的工作量和責任也會感到驚愕。她曾經照顧過她年幼的弟妹，當朋友生寶寶時也經常去援助。但是當女兒出生時，蓋兒卻有如擔了千斤擔，爲什麼呢？首先，這是她的寶寶及她的身體——她的疼痛、她的僵硬、小便時她會感到灼熱。賀爾蒙的分泌也亂掉了。土司烤的有點焦，會感到憤怒；嚴厲譴責媽媽怎麼把椅子隨便移動；打不開瓶子的瓶蓋時，就掉下淚來。她悲嘆道：「我不敢相信我竟無法妥善處理。」

她不是唯一有這種情形的人。另一位媽媽梅西，在門口遇見我就有一連串的問題發問，她還記得頭幾天的事：「眞像是一場難看的電影。我坐在餐桌椅上，腰部以上全裸，因爲我的乳頭太痛沒辦法穿衣服，胸部有些下垂，當我媽媽和先生恐怖的看著我的胸部時，我哭了起來，我只能說『都是因爲哺乳的關係！』」

對我來說，恢復精神的最好方式就是睡覺。每天下午兩點至五點，我都會叫媽媽們去睡覺。如果沒辦法這樣，我會告訴她們在頭六週，每天至少要有三次以上的小憩，一次一小時。我警告她們不要將這珍貴的時間花在講電話、做家事、或是記筆記上。如果你只睡了所需睡眠的五〇%，哪有辦法做一〇〇%。就算有人幫忙，就算你不覺得累，你的體內有一道很大的傷口存在。如果你不好好休息，我敢保證，六週後，你會感覺像是被巴士撞到一樣。

對女性而言，和一些曾經經歷過的好朋友聊聊是有幫助的，如果跟媽媽關係不錯，和她談談也很好——她可以大力支持你，提醒你這不過是自然的過程。對男性而言，和那些伙伴談談也許卻不是這麼回事。我曾經聽過我團體裡的爸爸說，新手爸爸傾向於去比較誰比較慘。有人可能會說「寶寶讓我整個晚上幾乎沒睡」，朋友馬上呼應「是嗎?我一整個晚上都沒睡呢，甚至連闔眼十分鐘都沒有。」

不論男女，最基本的就是要慢慢來，允許錯誤、承擔困難。像康妮，就會對自己好而且很有耐心，她體認到規劃和支持的重要性，並不急著去使用運動器材，而是做長時間的散步，增強她的循環，也離開房子去透透氣，最重要的是，康妮了解當寶寶加入後，一切都不會和以前一樣。這並不是一件壞事——只是不同而已。

慢慢將事情做好也有所幫助。儘管有成堆的髒衣服等著你，你也不必一次洗完。許多援手會接踵而至，如果你沒馬上道謝，她們也會了解的。

事實是當你有了寶寶，一切都會改變——你的慣例、你的優先順序、你的關係。女人(還有男人)如果沒辦法接受這個事實，就會有麻煩了。看遠一點——產後恢復終會逐漸平息。頭三天就只是三天，頭一個月就是一個月，你已經往這個方向去了。你會經歷愉快和不愉快，做好準備、迎接這一切。

## 媽媽的情緒起伏

從媽媽站在門口和我打招呼的方式，我就可以分辨出她的情緒。舉法蘭西絲來說，表面上打電話來是詢問哺乳的事情，但是當她站在門口，T恤顯得皺皺的、髒髒的時候，我就知道哺乳不是她唯一的問題。當我的眼睛掃過她的衣著時，她馬上道歉：「對不起。我眞的想振作、沐浴打扮的——因爲今天你要來。」接著又補充說「今天眞是過的遭透了。」

她透露道：「崔西，我覺得我好像有雙重人格。對我兩週大的寶寶，一下子，我是世界上最好、最慈愛的媽媽，下一分鐘，我又想逃離這個房子，跑得遠遠的，因爲我實在是受不了了。」

我微笑著說「親愛的，沒關係，其他新手媽媽也都有這樣的情緒。」

她問道「眞的嗎？我開始以爲，我是不是哪裡出了問題。」

就像我對其他新手媽媽所做的一樣，和法蘭西絲分享一些事情讓她感到放心。頭六週，媽媽的情緒就好像坐雲霄飛車一樣，我們唯一能做的就是繫好安全帶，做好準備去搭乘。情緒七上八下，難怪媽媽們會覺得突然變成雙重人格。

記住：那只是情緒的變動起伏而已。那就是爲什麼一天或是一週之內，你覺得自己內心有許許多多的聲音，好像有著好幾種不同的人格一樣。

「這很容易嗎。」在這些時刻，你覺得自己是個標準的媽媽——很快、很容易的就知道到底是怎麼一回事。你相信自己的判斷，對自己感到自信，不會受到養育趨勢的特別影響。你也會自己笑自己，你知道不是能將每件事都做的完美無缺。你不怕去發問，當你問問題時，很容易就記住答案，而且把答案應用到自己的情況。你覺得一切都很均衡。

「我這樣做對嗎？」深爲焦慮所苦就是當你覺得無能、悲觀的時刻。抱著寶寶時容易受驚嚇，害怕你會破壞一切。最輕微的差錯都能讓你感到沮喪——事實上，你甚至會去擔心尚未發生的事。在這樣激進的時刻，只要有一丁點的賀爾蒙失去控制，你還會不自覺的想像最壞的情況。

這些時刻，你會不斷抱怨自己的生產以及之後的種種，你確定沒人像你一樣這麼悲慘，向別人訴說剖腹產有多麼的痛，寶寶怎樣讓你徹夜無法好眠，先生又是如何說話不算話、承諾的事一件也沒做，這樣會讓你感覺舒服一點。當你要需要幫忙時，態度又像殉道者一樣：「沒關係，我來處理就好。」

「沒問題——我會讓每件事都上軌道。」事業成功的女人離開職場成爲媽媽時，最容易有這樣的想法。在這樣的時刻，你以爲可以把你的管理技能應用到寶寶身上，但是當寶寶不合作時，你會驚訝、失望、生氣。親愛的，有一段時期你會想去否認，想去相信有了寶寶之後日子還是能和以前一模一樣。

「但是書上說……」在迷惑、懷疑的時候，你會讀遍手邊所有的書籍，試著將之運用到寶寶身上。要處理這一堆混亂，你列下了無數的表單，還有黑板、記事本也都是密密麻麻的。雖然我贊成有條理、有秩序，但是失去彈性，讓你的慣例準則凌駕你而不是指導你，卻不是一件好事。

當然，如果你是被「這很容易嗎」的聲音所主宰，一週七天、一天廿四個小時都覺得自己天生就是媽媽的話，那樣是很好的，但是我敢說大多數的女人都不是這樣覺得的。最好的辦法就是記錄下這些聲音，如果記不得，就替情緒寫日誌，然後去學習處理這些變動。如果有一個聲音持續不斷，告訴你你永遠都沒辦法作個好媽媽時，是再重新評價的時候。

## 只是產後憂鬱還是真的很沮喪？

容我再重申一次：有負面情緒是很正常的。在產後恢復時期，女人會有熱潮紅（婦女更年期時一種突然而短暫的發熱感覺，常波及全身）、頭痛、頭暈目眩，可能會變的毫無生氣或淚汪汪的，也可能會自我懷疑以及感到焦慮。到底是什麼導致產後憂鬱呢？在分娩的這幾個小時，會分泌讓人憂鬱的雌激素以及黃體激素賀爾蒙，一樣的，在懷孕期間，會分泌腦內啡（腦分泌的具有鎮痛作用的氨基酸），讓人覺得快樂、舒服。就是這些讓人的情緒像在盪鞦韆一樣、搖擺不定。顯而易見的，成為新手媽媽的壓力也是原因之一。此外，如果你容易有經前症候群（PMS），就表示你的賀爾蒙分泌總會讓你高低起伏不定，在產後大概也會是一樣的情形。

產後憂鬱就像浪潮一樣席捲而來，所以我將這推動的力量稱之為你的「精神海嘯（inner tsunami）」。這波浪潮可以淹蓋你的明智、康樂的感覺一個小時、一兩天、或是斷斷續續長達三個月到一年。大多數的產後憂鬱浪潮會影響你對事情的觀點。

提示：如果寶寶在哭，只有你在她身邊，而且你覺得沒辦法去處理，或是更糟的是，你覺得怒氣正在上升，把她放在嬰兒床上，離開房間。寶寶不會因爲哭泣而死去的。做三個深呼吸，再回到房裡。如果你還是很激動，打電話給親戚、朋友或是鄰居，請求她們的幫忙。

當你的精神海嘯已經要襲捲而來，將注意力著眼在大處。現在發生的事是很尋常的——就讓它這樣無妨。如果躺在床上會舒服一點，就躺著。大哭、對伴侶大吼大叫，如果有幫助的話，也沒關係。這一切終究會過去。

但是你如何知道這一丁點的憂慮或是不安，是不是太過呢？產後憂鬱有文件證明是一種心理失調——一種疾病。在產後第三天開始出現，一直持續到第四週。然而，我（許多精神科醫生也知道這個情況）覺得要去限制說只持續某段時期是很難的。有些症狀，包括深刻的、無法放鬆的傷心、經常的哭泣、失望無助的感覺、失眠、了無生氣、焦慮、驚慌的打擊、易怒、一再循環、擺脫不了的恐懼想法、沒有食慾、低自尊、缺乏熱情、對伴侶以及寶寶的疏遠感、傷害自己或寶寶的想法，在產後幾個月都有可能會發生。不管是什麼情況，這樣的症狀——更劇烈的產後憂鬱形式得嚴肅的去看待。

估計約有五分之一的新手媽媽會有產後憂鬱；一千個人裡頭有一人會經歷徹底的與現實脫離，稱之爲產後精神病。除了賀爾蒙的改變以及成爲新手媽媽的壓力之外，科學家也不清楚爲什麼有些女人在產後會陷入這樣嚴重的沮喪。有一個經過證明的風險因素是化學失調的病史。三分之一曾患有憂鬱症的女性在產後也會憂鬱，第一胎得產後憂鬱中的一半女性，在其後的生產也會再舊病復發。

令人傷心的是，甚至有些醫生並沒有注意到這個警訊。結果，當沮喪來臨時，女性通常不知道自己到底是怎麼了——這個問題是可以透過資訊以及教育避免的。以伊凡來說，曾經因爲憂鬱而服用百憂解（Prozac），當她懷孕時，就停止吃藥，她不知道當生產完她的情況會很嚴重，她對寶寶並沒有溫馨、憐憫的感覺，每次寶寶哭的時候，她就想把自己鎖在廁所裡，當她抱怨「這一點也不尋常」時，沒有人聽她說，她媽媽說「那只是產後的關係」，否定了伊凡日益增加的壞感受，她姊姊也勸告她「我們都是這樣走過來的」，連她的朋友也同意道：「這一切都是必經的過程」。

伊凡打電話向我解釋說：「甚至是丟垃圾或洗澡都讓我覺得我的精力正一點點的消耗中。我不知道自己到底是怎麼了。我先生試著要幫忙，我跟他說話沒辦法不嘲諷他，他眞是很可憐。」我並沒有輕忽伊凡持續憂鬱的情緒，我特別注意她對我述說對於寶寶哭泣時的感覺。她說「當寶寶哭鬧時，有時我會吼回去『你到底是怎麼了？到底要我做什麼？你爲什麼不閉嘴呢？』隔天，我會變的很沮喪，我發現搖搖籃時大力了一點。那時我知道自己需要協助。老實說，我想把他扔向牆去。我終於了解爲什麼大人要去搖晃寶寶。」

當寶寶持續不斷的哭時，任何人有段時間都會很焦躁，但是伊凡的感受已經超出一般正常的狀況了。當她懷孕時，她的婦科醫生建議她去停止藥物治療是很適當的——藥物可能會傷害到胎兒。患有憂鬱症的女性，在懷孕期間停止藥物治療也不會感覺太難過，因爲那時會分泌大量的賀爾蒙以及腦內啡。然而錯誤和危險的地方在於，沒有人警告伊凡在產後可能會發生的情況，因爲在產後之前所分泌讓她感到輕鬆的化學物會減少。

結果，分娩完讓伊凡憂鬱的症狀更嚴重。我建議她立即去看心理醫生。一旦她開始藥物治療，她的生活就會完全改觀，對於身爲人母也會感覺很棒。因爲她有攝取藥物，所以當然不建議她親自哺乳，相對於她得到的鎮靜、自尊，這並不是一種犧牲。

如果你懷疑你有產後憂鬱，去請教你的醫生或心理醫生。如果你的產後憂鬱持續不去，或是一天比一天難過、沒有什麼緩解，立即去尋求專業的協助。憂鬱沒有什麼好丟臉的，這是一種生物現象。那並不代表你是個壞媽媽——那表示你病了，和得流行性感冒沒什麼不同。因此，也是最重要的是，你可以得到醫療上的幫助，而且有其他相同遭遇的媽媽的支持。

## 爸爸的反應

因爲家庭的注意力、重心全都指向了媽媽和新生兒，爸爸在產後時期通常都會有小小的懺悔。事情就好像理所當然一樣，但是男人也是人。研究顯示有些男人甚至會顯現壓力及沮喪的徵兆。所有的注意力全都在最新加入的家庭成員寶寶身上、還有媽媽的情緒、訪客，爸爸有些抗拒，變的無精打采。事實上，就像媽媽會有許多情緒一樣，我也發現某些特定的「爸爸情節」，伴隨寶寶來臨而衍生。

「讓我來做。」有時候，特別是在頭幾週，爸爸成了一個事必躬親的人。他懷著雄心壯志，一路從頭參與到尾，從懷孕、生產、到寶寶的一切。他以開放的心胸去學習，急於想聽見旁人的稱讚。他對寶寶也有著天生的自然直覺，你可以從他的臉上看出他愛上了寶寶。如果你的另一半正是如此，那是你的福氣，如果夠幸運，這會一直持續到寶寶上大學。

「這不是我分內的事。」這是我們對「傳統父親」可預期的反應——一個總喜歡將事情交給別人處理的傢伙。當然，他愛寶寶，但是不是在替他換尿布或是洗澡的時候。在他的觀念裡，那是女人的責任。寶寶出生後他可能馬上就全心投入工作，或許是真誠的認爲他應該多賺些錢，以供養成長中的家庭。不管是哪一種，他有一個很充分的理由不要去做那些無趣、煩人的寶寶照料。一些時日，當與寶寶的互動越多，他就會變的柔和一點。如果你嘮叨他不肯做，或是將他和其他爸爸（「麗拉的先生會幫寶寶換尿布」）做比較，我敢保證，他也不會因此覺悟開竅的。

「喔，不會吧——事有蹊蹺。」當他第一次抱寶寶時，會緊張、四肢僵硬。他可能有和太太一起上生產與養育的課程，甚至還被建議去上CPR的課，但是他仍然會擔心是不是做錯了什麼。當他替寶寶洗澡時，會擔心將他燙傷；放寶寶睡覺時，又會憂慮會不會發生嬰兒猝死症（SIDS）。當一切都靜下來時，他又開始擔心不知能不能供他上大學。和寶寶良好的互動經驗會幫助爸爸建立信心，消散這些感覺。媽媽溫柔的鼓勵及稱讚也能有所幫助。

「看看這寶寶！」爸爸眞是以子爲傲。他不只希望每個人都看到他了不起的寶寶，而且也很得意自己的參與幫忙。你會見他向訪客說「我讓我太太在夜裡可以好好睡覺。」同時，他惱火的太太正在他身後使眼神。就算這是他第二次婚姻，甚至在上一次他也是有事妻子服其勞的先生，他現在可成了專家，常常用一種輕視的評斷糾正太太，像是「我不是這樣做的。」讓他享有應得的權益，特別是他看起來煞有其事的樣子，但是不要讓他逾越你的最佳直覺。

就像我稍早提過的，當寶寶出生後，有些媽媽會去否認。親愛的，爸爸也有他們自己的版本。最近我在醫院裡拜訪妮爾，才剛生產完三小時，我單純的問道「湯姆在哪兒？」她答道——就像是世界上最自然不過的事一樣——「喔，他在家，想把園藝的事完成。」湯姆不只是不認爲照料寶寶是他責任的一部分，這傢伙也不了解寶寶出生了，而他的太太有所改變。甚至即使他意識到了變化，他也是逃避，去做一些他很拿手、感到舒服的事。他需要認清事實，就像需要妮爾的鼓勵一樣。如果湯姆堅持，或是妮爾沒有讓出地方給他練習，他就有可能成爲那種在客廳看電視、卻對周遭的混亂不以爲意的人。媽媽得一邊接電話、一邊準備晚餐，簡直就快忙不過來了，當要求他「親愛的，你能不能去抱抱寶寶？」他抬一下頭說：「什麼？」

不管男人一開始的反應是什麼，大多會改變，雖然都不是會讓太太高興的方式。當媽媽問我「我怎麼讓他多分擔一些？」她們很失望，因爲並沒有神奇的答案。我發現男人對他們本身、自己的時間比較感興趣，一旦寶寶開始會笑、會坐、會走、會說，突然之間把養育的工作丟給他，是工作狂的人會變的參與較少。大多父親對他們覺得他們可以做好的具體的工作表現的最好。

當我建議安琪讓他先生菲力選擇他喜歡做的雜務時，她哭著喊道：「那不公平，我就不能去選擇什麼是我想做的，不管我怎麼覺得，我都得接受」。我承認：「的確是。但是你已經有這麼多要處理，如果菲力不幫寶寶洗澡，也許至少可以在餐後洗碗。」

這本書所要陳述的「訣竅」就是：尊重。如果一個男人覺得他的需求及想法有被承認，他也會比較尊重你的。但是在一開始，你們兩個都在使勁去穩固地位時，你可以去使用一些小小戲法。

## 我們之間該如何？

當寶寶加入成爲三人世界後，夫妻之間的關係也會跟著有所不同。在許多例子裡，現實生活與夢想中的都相去甚遠。但是讓兩人關係變的疏遠的通常都是檯面下的問題。以下是一些常見的課題。

新手的恐慌。媽媽覺得負擔過重，爸爸不知可以做些什麼去幫忙減輕負擔，當爸爸介入時，媽媽可能會很沒耐心、厲聲去責罵他，爸爸只好退到一旁。

媽媽可能會站在伴侶身後抱怨：「穿尿布的方式不對。」

我會說：「親愛的，那是因爲他正在學習，給他一個機會。」事實是，大家在這個領域都是初學者。父母雙方都位於陡峭的學習曲線上。我會試著讓他們回想初次約會的模樣，他們不用花些時間去了解彼此嗎？隨著時間累積，兩人之間的了解與熟悉不會與日俱增嗎？他們和寶寶之間的關係也是一樣的道理。

我喜歡讓爸爸負責某些特定的工作——採買、替寶寶洗澡，這會讓他感覺自己參與其中。畢竟，媽媽需要這點點滴滴的幫忙。我會鼓勵男人扮演他們太太的耳朵和記憶。除了有太多資訊要消化吸收外，很多女性會有產後健忘症，雖然這只是短暫的現象，卻會讓人捉狂。或是讓爸爸去完成某些特別的需求。像是蘿拉（在第四章），媽媽在哺乳時特別緊張，先生覺得自己很沒用——似乎幫不上什麼忙，可以幫助太太態度過這艱困的時期。但是，當我示範給迪恩看正確的含住孔頭是什麼樣子、指導他如何去教導蘿拉時（重點在於要很溫和），這讓他覺得自己有所貢獻。我也請他負責要確定媽媽一天有喝十六杯水。

性別的差異。不管在頭幾週爸爸媽媽之間發生的爭執爲何，也許他們看情況的觀點迥異其趣，無可避免的，我都會提醒他們是在同一條船上。就像我在第二章所說的，當媽媽只是希望有人傾聽、有肩膀可以讓她倚靠哭泣、強壯的臂彎將她擁在懷裡，可是爸爸卻傾向於當個「調停者（fixer）」。常常，伴侶之間的問題就根源於這樣的性別差異。我發現自己常常成爲翻譯者，讓金星知道火星所要表達的意思，反之亦然。當他們除了學習去明瞭對方的意思外，也能去虛心接受對事情的不同看法，而不是將之視爲針對個人的觀點時，就能將事情做到最好。應該要試著在兩人的差異之間去發現長處，因爲那樣能以更寬闊的角度去看事情。

## 他和她的說法

任何一對夫妻雙方都有不同的看法。我常常像是聯合國的翻譯，告訴一方另一方想要他知道的。

媽媽想說的是

◎生小孩有多麼辛苦

◎我有多累

◎哺乳是多麼的讓人感到不知所措

◎哺乳有多麼痛（為了去證明，我曾經捏著爸爸的乳頭說道「就讓我維持這個姿勢廿分鐘」）

◎我大哭大叫的原因是賀爾蒙分泌的關係，並不是針對你
◎我沒辦法解釋為什麼要哭
爸爸想說的是
◎不要再批評我所做的事了
◎寶寶又不是陶瓷做的，不會碎掉
◎我已經盡力去做了
◎對寶寶的想法被駁回時，我會覺得受到傷害
◎對於要養這個家，我覺得壓力更大了
◎我也一樣覺得沮喪、不知所措

生活形態的轉變。對某些伴侶來說，最大的障礙在於學習如何去改變規劃事情的方式。他們也許有很多親戚可以來幫忙或是幫他們帶小孩，但是在多了一個人之後，他們並不擅長如何去規劃時間——因爲他們不曾有過這樣的經驗。就像麥克和丹妮絲，已經卅好幾、結婚四年多了，是一對很強勢的伴侶。麥克是某大公司裡的高階經理，也是個運動好手，一週打三次網球、週末會玩足球。丹妮絲是廣播電視公司的總監，從早上八點工作到晚上九點，只有一週四天上健身房的時候會暫停一下。可想而知，他們大部分是在餐廳解決民生問題，不論是一起用餐或各自解決。

我們第一次見面是在丹妮絲有九個月身孕時。在聽完他們的生活作息後，我告訴他們兩位：「有

些話要先講在前頭，不是每件事，但是某些東西得做出讓步，在寶寶出生後想保有某些生活方式時，得去規劃才行。」

爲了將來的日子著想，他們坐下來，列出他們的需要和想望。在剛成爲新手父母的頭幾個月，有什麼是他們願意暫時放棄的？爲了情緒健康著想，什麼是絕對必須的？丹妮絲決定暫時放下工作，雖然她只給自己一個月的時間復原。麥克也允諾他會向公司爭取多一點的時間留給家庭。在一開始，他們對自己的要求有高了些——對某些伴侶來說，要做這樣的轉變是很難的。但是當丹妮絲了解到生小孩對自己的身體影響有多大時，她也讓自己又多休息一個月。

## 喚醒另一半！

有一些至理名言要給那些沒有生產、沒有整天在家陪伴寶寶的人：

可以做的

◎休假一週或更長；如果不行，花些錢請人來打掃家裡

◎只要傾聽就好，不要提供任何解答

◎不帶任何評判、深情的去支持就好

◎在她開口要求前，去採購、清掃家裡、洗衣服、吸地毯

◎當她說「我不太喜歡自己時」，要知道她一定有個好理由

不能做的

◎試著去「校正」她的情緒或生理問題——讓一切平安度過

◎像個啦啦隊隊長或對她施以恩惠——例如，拍拍她的背、稱讚道「做得好」

◎走進自家廚房，大聲問道東西放在哪裡

◎站在身旁不斷批評

◎如果要的東西已經賣完了，從店家打電話回家問她「那要買什麼?」——自己決定就好

相互競爭。這是到目前爲止，我所見過最普遍的問題之一。以喬治和婓麗絲爲例，在他們四十歲出頭時，領養了滿月的李梅。他們互相較勁誰可以讓李梅多喝點奶、誰比較會去安撫她。當喬治幫李梅換尿布時，婓麗絲會說「那樣穿太低了，讓我來吧。」當婓麗絲替李梅洗澡時，喬治會站在一旁去指點她：「小心她的頭。小心——你把肥皀弄到她眼睛了。」兩個人都會去閱讀養育寶寶的書籍，向另一人逐字引述所讀到的，不是去思考怎樣作對寶寶才是最恰當的，而像是在說「看到沒?我才是對的。」

喬治和婓麗絲打電話給我是因爲李梅吵個不停。那個時候，大人認爲寶寶腹絞痛，但是對於該如何處理紛爭不已，當其中一人試某種方法時，另外一個就在那批評。爲了糾正情況，我首先向他們解釋我所認爲的事情狀況，那並不是腹絞痛。李梅常常哭是因爲沒有人聽她說話。她的父母忙著互相較量，並沒有去觀察她。我建議讓李梅採用E.A.S.Y.，給喬治以及婓麗絲一些暗示，讓他們放慢速度才

能開始用心去觀察他們的女兒（請看第三章）。也許這個例子最重要的是，我也幫他們分配好照顧寶寶的責任，告訴他們「現在你們個人有自己要負責的事了。當你們在做自己的工作時，另外一個不能去監督、評判、或是批評。」

不管原因是什麼，當父母各持己見，就會牽一髮動全身影響到兩人的生活。可能會為家務事爭論不已，也可能拒絕合作或妥協。最有可能的是，他們的性生活已經中止了好幾週（或幾個月），可能對對方沒了感覺、失了性趣。

### 關懷伴侶一〇一

- ★安排一些相處的時間——散步、夜晚的約會、去一趟冰淇淋店
- ★計畫一些兩人假期，甚至如果在短時間內無法成行也沒關係
- ★在隱密的場所給對方來一個驚喜的按摩
- ★給對方一份意料之外的禮物
- ★送一封情書到辦公室給對方，告訴對方你有多麼愛慕、感謝
- ★總是對對方表現友善、尊敬

## 配偶忽然感到壓力及性生活問題

講到她和他的說法時，每個爸爸列出的頭條就是性生活，而這通常是媽媽所列的最後一項。更確

切的說，當媽媽從婦科醫生那做完產後檢查回來，爸爸的第一個問題是「怎麼樣，他有說我們可以享有性生活了嗎？」

就在同時，這個問題在媽媽體內翻騰沸滾，因爲爸爸沒有問她的感覺如何或是送花來討她歡心，而是要一個第三者對他們性生活的意見，好像那會影響她似的。如果在被問問題之前她就已經不願有性生活，在被問之後，她會更加堅決。

所以她會深呼吸、然後說「還不行」。這就好像是在暗示說醫生認爲她還沒準備好，不過當然其實是她自己的想法。有些女性會以寶寶睡在兩人床上爲藉口來拒絕。有些則用老掉牙的說法「我頭痛」或是高明一點的說詞「我太累了」、「我現在還很痛」、「我不行讓你看到我現在的身材」。這些聲明並非全然是事實，但是對性恐懼的女性會以此爲抵禦。

在我帶的團體以及訪客中，極度渴望的爸爸尋求我的協助。「崔西，我能怎麼做？我擔心我們從此就不再有性生活了。」有些甚至求我「崔西，你去跟她溝通一下。」我試著去強調六週內不會有什麼奇蹟，那是第一次讓婦科醫生檢查的時候。那是自然產或剖腹產需要復原的時間，但是那不代表每一個女人六週就能完全康復，或是說女人在情緒上已經準備好可以有性生活。

除此之外，分娩過後的性愛也會有所不同。沒有任何預告，對雙親來說是不公平的。馬上就想有性生活的男人，並不了解生產對女人身體造成的改變：胸部會疼痛、陰道被撐大、陰唇被撐開、賀爾蒙的少量分泌讓她的陰道不夠濕潤。親自哺乳會讓情況在未來更複雜。如果女性以前喜歡去刺激乳頭，現在可能發現乳頭會很痛，或是有些反感——她的乳頭一下子變成寶寶的。

這種種的轉變，怎麼可能做愛的感覺不會有所不同？恐懼也是原因之一。有些女性擔心她們會不會「太過鬆弛」以致於無法享受性趣。有些甚至只不過是在建議做愛時，因爲預料會有疼痛，這點就讓她們很緊張。當女性有高潮，胸部被刺激以致有乳汁分泌時，她可能會覺得很不好意思，或是害怕另一半覺得那味道不好。

有些男人確實是這樣覺得。被乳汁淋浴並不是一種眞實的性愛。還要看男人在女人懷孕前是如何去看待她的，也許會對她成爲媽媽這個新角色有所困擾，甚至可能連去碰她都會有點怕怕的。事實上，有些男性告訴我，當他們在看到太太在產房裡或是第一次目睹她哺乳時，他們會別過頭去。

所以到底伴侶該怎麼做才好？這裡沒有立即的答案，但是有些建議至少可以去消除雙方的壓力。

以開放的心胸去談論。不要讓情緒私下沸騰，坦承你眞實的感覺。舉例來說，愛琳有天眼淚汪汪的用汽車行動電話打給我：「我剛做完六週以來的檢查，醫生說我可以享有性生活了。吉爾等的就是醫生的這句話，我沒辦法讓他失望——他跟寶寶互動得這麼好，我欠他很多，不是嗎？我能怎麼跟他說？」

## 生產完的健美體操

我說過在頭六週不要做任何運動，但是有一種可以在產後的三週做，就是大家所知道的凱格爾運動（Kegel exercises）：骨盆的地板運動，是以發現陰道內襯的纖維組織的醫生而命名的，這層纖維組織的功用在於鞏固支持尿道、膀胱、子宮、直腸的肌肉，還有支撐陰道。就是當你排便要停止時－你會去緊繃放鬆的肌肉。我建議一天做三次。

一開始這會是個挑戰－你會覺得那裡好像沒肌肉，甚至可能覺得有點痛，開始要慢慢的，膝蓋靠攏合併。要知道你運動到的是不是那塊肌肉，放跟手指在陰道裡，就可以感覺到那收縮。當對那塊肌肉的掌控變好，可以試著把腳張開做做看。

從先前的談話中我知道愛琳生產花了很長的時間、會陰也切開。我建議道「讓我們來說實話。首先，你感覺如何？」

「我害怕做愛會讓我很痛。老實說，崔西，我沒辦法去想像讓他碰我，特別是情緒低落時。」

當愛琳聽到許多女性都有這樣的想法時，鬆了一口氣。我告訴她：「親愛的，你得告訴他你的擔心和感覺。我不是性愛治療師，但是你覺得你『欠』他性愛這個想法並不是件好事。」

有趣的是，吉爾是我課程上的一員，這堂課上性永遠是熱門議題。在那週的稍早，我曾解釋過男人應當對他們的慾望誠實的表態，但是他們也得去了解女性的處境。我補充道，女性在生理上準備妥當和情緒上十足願意是有很大的差別的。吉爾相當了解也很能接受這個想法，他需要和愛琳談談、知道她的感覺，最重要的是，讓她知道他有多珍惜她、愛她、希望和她在一起，而不只是當成工具。這是很眞誠的關心，女性也能發現更甜美的歡愉而不是被「說服」。

在成爲父母前就檢視自己的性生活。有了這個想法是在有一天我去拜訪米吉、凱西、還有他們快三個月大的女兒寶蜜拉，在頭兩週是我照顧她的。

當太太在廚房準備茶水時，凱西把我拉到一旁說道：「崔西，自從寶寶出生後，我和米吉就沒做愛過了，我已經快失去耐心了。」

「凱西，我問你：寶寶出生前，你們做愛的次數頻繁嗎？」

「倒也不會。」

我跟他說：「親愛的，那就對了。如果在沒寶寶之前性生活就是那樣，在有寶寶後當然也不會有所改變。」

這個對話讓我想起一個老掉牙的笑話，有一天有一個男生問他的醫生，在動完外科手術後還能不能彈鋼琴，醫生說「當然沒問題。」那男人說道「哇，眞是太棒了，因爲我以前從來就不會彈。」暫且一笑置之，夫妻對於他們之間的性生活也要有實際的預期。所以，在生寶寶前如果一週做愛三次比起一週或一個月只做愛一次的，忽然沒了性生活，受到的影響當然較大。

坦率的將重點優先列入考量。一起決定現在什麼對你們來說是重要的，幾個月後再重新評估一次。如果你們雙方都認爲做愛是很重要的，就挪些時間出來。也許一週計畫一次夜晚約會，找個保母然後外出。我總是提醒團體裡的男性，女人對羅曼史的想法不一定是含有性的。我說「也許你想在乾草堆上翻滾，但是她希望談心、燭光、互助。如果她沒開口你就把碗洗好，她會覺得很窩心！」就像小南常說的「給點甜頭會比吃醋的收穫來的多。」買花送她，用關愛來處理她的情緒問題。但是如果你的伴侶在生理、心理上都尙未準備就緒，請退後一步等待。壓力不是一種春藥。

提示：當和先生找個晚上外出時，就不要去談論寶寶了。在生理上，你已經把你的小可愛留在家裡，請也把情緒上的寶寶留在家裡。

把期望降低一點。做愛是很親密的，但是並不是所有親密都源自於做愛。如果還沒準備好要做愛，就找尋其他一些親密的方式。例如，手牽手一起去參加音樂會。或是只單純的親吻一小時。我總是提醒男性要耐心一點，女性需要時間。而且，男性也不應該把女性的不情願當作是針對個人的事。

事實上，我都建議男性試著去想像一下，你懷著一個小生命、然後生下他，我是指，在這樣的情況下，他們多快會想要做愛呢？

## 生產後的性生活

女人覺得

精疲力竭：「做愛像是另一項家務」

過度勞累：「每個人都想從我身上拿走些什麼」

不感興趣：「那是我現在會想到的最後一件事」

罪惡感：「我好像喪失了寶寶或另一半自我意識：我覺得胖而且胸部感覺怪怪的」

難為情：「如果寶寶在隔壁房，我覺得我好像偷偷摸摸的」

小心翼翼：「如果他親親我的臉頰，說『我愛你』，或是把手放在我腰上，就好像是種期望－做愛的前奏」

男人覺得

挫敗：「到底要等多久呢？」

被拒絕：「為什麼她不想要我？」

迷惑：「詢問她想不想做愛可以嗎？」

嫉妒：「她關心寶寶甚於我。」

生氣：「她什麼時候才要回復像平常一樣？」

忿恨：「寶寶佔據了她所有時間。」

被愚弄：「她說如果醫生說可以，我們就能做愛，但是已經過了幾週了。」

## 工作：重回職場而不覺得罪惡

當女人因爲想生小孩而離開一帆風順的事業、舒適愜意的辦公室工作、志願工作、甚至是鍾愛的嗜好，通常都會有一段時期——有些是在產後一個月，有些則在許多年之後——「關於自己」這個問題開始不斷在腦海盤旋。當然，有些女性在懷孕期間就已經打算好何時要返回工作崗位、或是要從事些什麼計畫。有些則是聽了別人的聲音而開始去規劃。不管是哪一種方式，都會面臨兩個同樣的問題：「我要怎麼做才會沒有罪惡感？」以及「誰要照顧寶寶？」至少在我心裡，第一個問題是比較簡單的，所以我們馬上就來處理一下。

女人在決定要出外工作時，已經思考了許許多多的問題，而且事實是她們很愛她們的小孩。但是還有經濟壓力、情緒滿意、自尊等考量。有些女人也坦承如果她們不擁有些只屬於自己的東西，她們會發狂——不管是不是要她們付出代價。我鼓勵她們去鍾愛、關心她們的寶寶，但是那不代表她們不能去追求自己的夢想。工作並不會讓女人成爲壞媽媽。那只是讓女人有權說「事情就是這樣子。」

明顯的有些女人除了去工作沒有其他財務上的選擇。有些則是因爲自我滿意才去工作。不管待遇如何，重點在於這些女人正做些能養大她們寶寶的事情。相較那些滿足於管理家裡的媽媽而言，她們不需要道歉。我記得有一次問我媽「你有沒有想過要做些什麼？」她惱怒的看著我說道「做什麼事？我是個家庭管理者。你所謂的『做什麼事』是什麼意思？」我從來沒忘記這個教訓。

癥結在於即使有些爸爸在家裡也會動手做，許多媽媽還是肩負了撫養小孩的絕大部分責任——如果是單親家庭，晚上也沒其他幫手，負擔更大。想要講電話、跟朋友午餐、感覺自己除了媽媽之外還有其他角色要扮演，這樣的想法一點錯也沒有。但是因爲不斷的被忠告轟炸、被責任淹沒，自己又很迷惑，很容易就掉進罪惡的陷阱。我總是聽見媽媽的過度疲累，在兩個極端間掙扎——全然陷入和自由放任。她們告訴我「我愛寶寶，我也想成爲最好的媽媽，但是我得放棄自己的生活嗎？」

**提示：當你有罪惡感時就告訴自己這句眞言：「留些時間給自己並不會傷害到寶寶。」**

如果你不花些時間滋養自己的靈魂，生活中就全是寶寶了。去面對它：能跟寶寶做的就僅於此，對於新的歡樂也就僅止於此。不要有罪惡感，只要能努力去讓你的情況變的更好，不管是怎樣，一切都會更好。如果你一天需要工作十二個小時，就讓自己在家裡的時間過的更有意義點。例如，當跟孩子相處時就不要接電話，關掉電話或是讓答錄機去回應。週末不要工作。在家時就不要一心想著工作的事。就算只是寶寶也能感覺出端倪。

在其他大問題發生前——誰要照顧寶寶——答案不是免費協助就是花錢解決。以下我會一一說明。

## 你的鄰居、朋友、親戚：創造一個扶持圈

我家鄉的傳統分娩時間是四十天，也就在產下莎拉後的六週，別人對我的期望就是照顧好小寶寶就好。小南、我媽媽、還有一群女性親戚跟鄰居會在我身旁，她們會照料我家，替我準備餐點。我一點需要履行的壓力也沒。當我生蘇菲時，一樣的支持圈會幫我照料三歲大的莎拉，讓我可以好好去了解我的小女兒。

在英格蘭這是很典型的情況，生小孩是整個社區的事。每個人都會參一腳，從祖母、伯母、嬸母、姑母、姨母、舅母、到隔壁鄰居都一樣。我們也有家庭健康助手提供專業的健康照料體系，這是由女性、親戚、朋友所組成的，提供新手媽媽最大的協助。她們會跟她分享她們的經驗。到底誰才是最具資格的？她們都曾經經歷過。

在許多文化體系，支持圈都是司空見慣的事；幫助女性走過懷孕和分娩是一項傳統，在成爲媽媽的這條路上去悉心呵護。新手媽媽會有生理和情緒上的支持、有人會準備餐點去照料、分擔一些家務事，這樣就能讓新手媽媽去陪伴她們的新生寶寶，而且從分娩後復原過來。有時候，像是在阿拉伯國家裡，先生的媽媽是被指派要去照顧新手媽媽的。

評估一下你和不同家庭成員之間的關係。和媽媽親近嗎？如果是的話，就沒有人能更了解你了。她愛她的孫子，所以她會把寶寶的安全放在心上。而且她也有經驗。當我在祖父祖母都能協力幫忙的

家庭裡時，真的很棒。

但是當媽媽沒有這樣和諧融洽的家庭關係時，這幅景象就會有戲劇性的轉變。父母有時候會介入或是評判年輕的一代。特別是在哺乳時，祖母也許跟新手媽媽一樣經驗不足，卻會敏銳的去批評，說些什麼「你怎麼抱著她這麼久？」或是「我不是這樣做的」的評判。在這樣的情形下，求助的重點在哪？你所承受的壓力已經超過能輕易處理的程度。我不是說你應該把媽媽鎖在門外，但是不要去依賴她、知道她的限度，卻是個好主意。

## 維持你的支持圈

這裡是一些如何擴大免費幫忙的重點：

◎不要期望別人能解讀你的心思——開口去要求幫忙

◎特別是在頭六週，請求別人幫你採買、煮飯、送食物來、清掃家裡、洗衣服——讓你有時間去了解寶寶

◎實際一點。要求別人能力範圍之內的事——不要讓健忘的爸爸沒拿採買單就出去購物；不要要求媽媽在她的網球時間時幫你看顧寶寶。

◎寫下寶寶的一天，讓別人了解情況、知道可能會負責些什麼。

◎為你的怒氣沖沖賠不是——因為你一定會的！

新手媽媽常會問我如何去巧妙回答主動提供的忠告，特別是在一開始關係緊張時。我會建議她們將忠告放遠一點來看。這個時間是很敏感的。你才剛開始在紮根而已，如果有人建議你的方法或作法，和你所做的不同時，就算她是想要幫忙，卻會覺得好像是在批評。在你立即做出受到攻擊的結論前，先思考一下消息來源。有人正試著要幫忙或是和你分享一些好的觀點，這是機會所在。讓自己去傾聽所有建議——你媽媽、你的姊妹、你阿姨、你祖母、你的小兒科醫生、還有其他女人的建議。全盤的去思維，決定什麼是最適合自己的。只是要切記：養育並不是一個辯論的課題。不需要去爲自己做爭辯。畢竟，你養育小孩的方式和我的可能相去甚遠。那也是每個家庭都獨一無二的理由所在。

提示：這樣去回應主動提供忠告的人「哇！那眞的很有趣——聽起來像是對你的家庭很有效果。」就算在你的腦海裡說的是「我有我自己的方式。」

## 雇用保母——不是傻瓜

在英國保母是被認可的專業，有嚴格的法律規定。有希望成功的保母得在鑑定合格的保母學校被訓練三年。當我來到美國，發現到你需要一張執照才能去幫人修剪指甲，但是看顧小孩卻不需要任何證照，簡直讓我大吃一驚。這篩選的過程是父母或代辦處負責的。因爲我在頭幾週都會和父母一起共事，所以我也常常參與了保母的挑選。我可以跟你說，這絕對是最困難的——而且壓力很大。

提示：給自己至少兩個月的時間，理想一點是三個月，來搜尋保母。如果，舉例說，你計畫在寶寶六或八週大時回到工作崗位，就表示你得在懷孕時就開始尋找保母。

找到合適的保母是一個很費力的過程。但是這寶寶是你最珍貴的——而且無可取代，找到能照顧她的人當然是第一要務。找尋時要投入所有的洞察力及精力。下列是一些你也需要去思考的要點。

你需要的是什麼？顯然的，第一步要去評估自己的狀況。你是要請一個全職的、一起同住的，還是兼差性質的保母？如果是後者，她是要按照規定的時間來，還是在你有需要的時候來？也想一下自己的界線。如果有人要來和你同住，家裡有沒有哪些地方是禁區呢？她自己用餐還是和大家一起？當寶寶入睡後你希望她「消失」嗎？家務事也包含在她工作內容中嗎？如果是的話，範圍多廣？許多經驗豐富的保母除了寶寶的衣服清洗外並不負責其他事項，有些甚至連這項也拒絕。在開始搜尋前，你越詳盡，就越有能力去處理面試。

提示：列出保母的工作說明書。那樣做的話，你就會很清楚需要的是什麼，當預期中的保母來時，你可以詳細的去跟她談——不只是跟寶寶相關的事物，還有你的家務，以及薪水、休假、限制、假期、獎金、加班。

代辦處不見得有幫助。好一點的代辦處會細心幫你篩選保母，幫助你節省時間去應付一些不適當的人選。然而，無法信任的經營傷害遠大於益處。她們並沒有仔細去審核資料，有些甚至對本身所具資格及過去說謊。要找到好的代辦處的最佳途徑就是口耳相傳的。問問朋友她們的經驗。如果你認識的人沒找過代辦處，就翻閱一些嬰兒雜誌。

面試時要特別注意。了解保母希望從工作得到什麼。和你的描述符合嗎？如果沒有，討論一下差異所在。她曾受過哪些訓練？請她談談先前的工作經驗，以及爲什麼要離職。她對疾病、紀律、訪客有什麼想法？試著去發現她是個自己作主還是會尋求你指示的人。兩種都好，只是看你希望的保母是怎樣的。當你想尋求幫忙，卻來了一個指揮者時，你肯定不會高興的。姑且不論看顧寶寶這方面，她有你所需要的，像是開車、個人屬性可以讓工作關係良好的技能嗎？也問問她的健康狀況。特別是你有養寵物時，會不會過敏可能就是個議題。

## 保母的注意事項

◎最近有很多工作經驗。也許都是短期工作，或是和雇主相處有問題。相反來說，如果三年內只有一個或兩個長期工作，通常顯示了她的稱職和責任感。

◎最近沒有工作。可能是生病了或是找不到工作。

◎談論其他媽媽時口吻很差。我曾經面試過一位，不斷的講述她上一個雇主是多壞的媽媽，因為她每天都加班。為什麼她沒有跟她的雇主討論這個問題就超出我的範圍了。

◎她自己也有幼童。她小孩會和她一起工作，或是她可能也會有一些緊急狀況而暫且棄你不顧。

◎你有不好的預感。相信你自己。不要雇用一個你感覺不對的人。

她是你要找的合適人選嗎?人與人之間的化學作用是很重要的。那就是爲什麼你朋友很中意的保母你可能會覺得沒什麼。所以捫心自問「我內心有什麼特定的人選型態嗎?」切記沒有一個人是完美的。可能還要考慮她的年紀及靈活度。如果你家有很多階梯,或是透天四層樓的,你可能需要一個年輕、活潑敏捷的——如果你有一個好動的幼童,這也會是個不錯的主意。或是,有其他各種不同的理由,你可能希望是一個較爲年長、較爲安寧的保母。你會尋找特定種族背景的人嗎,像你一樣或是和你不同的?記得保母會帶來她們的傳統文化——餵食的觀點、紀律、如何去表現情感,有可能會跟你的方式有所不同。

去她家拜訪一次。當把搜尋範圍縮小後,到她的地盤去會會她。如果可能的話,跟她的小孩碰個面。雖然那並不能當成是跟你的寶寶互動的跡象,特別是如果她的小孩年紀較大時,但是至少你可以感覺一下她的親切、清潔和照顧的標準。

切記你有你自己的責任在。這是一種合作關係——你不是雇用了一個奴隸。雙方都同意的工作說明才生效,不要加上一些額外的工作。如果你沒有請她負責家務,就不要有那種她會去做的期待心理。提供給她將工作做好所需的資源——指示、零錢、日用的電話號碼、緊急時可聯絡的電話號碼。也要記住,她也有她的個人需求——休假、和家人朋友相處的時間。如果她是從外地來的,提供她一些地區教堂、睦鄰中心、健康俱樂部的資料,幫助她培養她的社交生活。你不希望她做這個工作時感覺很寂寞吧。如果一天到晚都只是寶寶、寶寶，會讓你不快樂的話，你的保母也不喜歡喪失與其他成人交流的機會。

按時評估她的績效以及立即糾正她的錯誤。要與任何人保持一個良好的關係，最好的方式就是透過眞誠的溝通。對保母而言，更是極其重要的。要求她每天記錄我所謂的「保母日誌」，所以你會知道當你不在時發生了什麼事。當你的寶寶在夜晚行爲異常或是有些過敏的反應時，你就比較能去評估爲什麼。當你有些建議或是要求她用不同方式時，要坦率直言。在私下進行這些對談，對於你的措辭要審愼一點。不要說「我叫你做的方式不是這樣的」，你可以用一個較爲正面的說法去表達：「我希望你是這樣替寶寶換尿布的。」

注意自己的情緒反應。對於讓別人照顧寶寶不可言喻的恐懼，會影響你對保母舉動的觀點。嫉妒是很一般、平常的反應。甚至當我媽媽照顧莎拉時，我都有點嫉妒她們的交情。我也常常聽見許多職業婦女說雖然她們很高興找到一個很棒、値得信任的人，但是一想到那個人是第一個見證寶寶的第一個微笑或走第一步的時候，不免有些受傷的感覺。我會建議你跟你的另一半或是好朋友談談這些感受。要知道有這樣的感覺並不可恥，幾乎所有的媽媽都曾經有這樣的想法。只要記住你是他媽媽，這是沒有人可以取代的。

## 記錄保母日誌

要求你的保母簡單記錄下你不在時所發生的事。以下有個範例。可以有所更動以符合自己的情形。把它用電腦記錄起來，這樣當寶寶長大或改變時，就可以去做調整。它必需要簡單扼要的描述細節，這樣才不會需要保母花很多時間去填寫。

**◎食物**

在幾點喝奶

今天嘗試的新食物

寶寶的反應：□脹氣　□打嗝　□嘔吐　□腹瀉

細節：

**◎活動**

室內的：□體操　分鐘　□遊戲圍欄

其他：

戶外的：□散步去公園　□課程（例如：體操）　□游泳池

其他：

**◎行為**

□微笑 □抬頭 □翻身 □坐起來 □站起來 □走第一步

其他：

**◎其他**

約會

醫生

玩耍之約

異常事件

意外

發脾氣

異於平常的任何事情

備註：

Part 8

# 意外的插曲

許多非常時刻及緊急關頭，
讓我們知道了生命的應變能力遠比我們所以為的強大。
——威廉・詹姆士

## 理想中的計畫

當規劃一個家庭時，我們總是想得很簡單，就是懷孕、生產、然後有了一個健康寶寶。但是事情卻非總是如此。

例如，你可能會突然碰上生殖上的問題，需要去領養或是透過一些人工協助生殖技術，有各式各樣的選擇，也許符合傳統的想法，卻也可能會置傳統觀念於不顧。其中一種是代理孕母，就是讓另一個女人幫你生小孩。明顯的，不管是國內外，領養都比代理孕母的作法來的普遍，但是我在美國任職期間，卻有幸認識八對選擇代理孕母方式的夫妻，他們有時稱之爲「運送者（carrier）」。

### 有哪些方式……

領養：在九〇年代，美國一年約有十二萬人被領養。大約四〇%是由有親屬關係的人所領養，卻還有十五%是透過政府代理機構，卅五%是私人性質（代理機構、醫生、律師），有一〇%則是被國外領養。

代理孕母：並沒有正式的官方紀錄，但是根據代理孕母組織的估計，美國從一九七六年來，約有一萬個至一萬五千個寶寶或是更多經由代理孕母的方式出生。

多胞胎：每一百次的生產中約有一點二次是雙胞胎，每六千八百八十九人中有一人會生出三胞胎。透過受孕藥，這些數字戲劇性的攀升：克洛米德（Clomid）讓雙胞胎的機率提高到八%；皮格諾（Pergonal）讓雙胞胎的機率提高到十八%，三胞胎的機率提高到三%。

早產：一年約有卅萬個寶寶，或是一○%的懷孕婦女，在卅七個星期或更短就生產（正常是四十個星期）。如果你的年紀超過卅五歲，或懷有雙胞胎，或是有下列情況其中一項以上：壓力極大，慢性疾病像是糖尿病、傳染病，或是懷孕時有併發症像是前置胎盤的狀況，你早產的機率就會提高。

一旦懷孕，你可能會被無法預知的情況所困擾。也許被告知懷有雙胞胎或三胞胎——這肯定是上帝賜福，但是這前景也讓人卻步。懷孕時也可能產生其他問題迫使你得躺在床上休息。如果你超過卅五歲，特別是有服用受孕藥時，你可得比年輕的媽媽更加小心謹慎。已經存在的情況像是糖尿病，也可能會讓你列入高危險群。

最後，生產時也可能會有困難。寶寶（們）也許會提早誕生，或是因爲分娩時的問題而需多待在醫院一些時日。如果你無法立即去抱寶寶，那更是特別艱辛。例如，因爲莎夏提早三星期出生，所以凱拉只好兩手空空的離開醫院，嬌小虛弱的莎夏因爲肺部有液體積著，所以接下來的六天在新生兒加護病房被照料著，勁頭十足的運動員凱拉回憶道「那就像你已經準備好要出賽了，結果有人進來說句『別放在心上——賽期延後了。』」

大家都知道，有些書是專門在講受孕、領養、多胞胎、生產問題等課題的。在這裡，不管你是如何受孕、生產、發生了什麼問題，我最關心的是你能不能去運用這本書裡我所提出的觀念。

## 麻煩接踵而來

以上我所提到的情況各自表徵了各種截然不同的情節，接下來我會一個個分開去討論，所有的特殊狀況及無法預知的情形都有一些共有的頭緒可去串連。你的反應會影響你的決定，影響你看待、傾聽寶寶的方式，也會影響你制訂有條理的慣例的能力。不管你的情況爲何，不管你碰到了什麼麻煩，這裡有一些浮現的普遍想法。知道可以有些什麼預期能幫助你避開一些隱藏的危險。

你會更容易疲累、更容易情緒緊張、因此對每件事都更容易感到焦慮。如果你懷孕時很艱辛或是分娩時有高危險，當寶寶誕生的那一刻，你已經精力耗盡了——如果是雙胞胎或三胞胎那會更累人。或是在生產時有些意料外的麻煩產生，這震撼會在你的體內反射好幾天或好幾個星期。因此，任何女人分娩後都會精疲力盡，無法預知的情況甚至會讓你更加疲累不堪。除此之外，持續不斷的操勞不只影響你養育的能力，也會影養你和伴侶之間的關係。

沒有什麼神奇藥丸可以讓一切變的好一些，任何危機都會伴隨高漲的情緒升高。解決的方法就是要有適當的休息、接受他人所提供的幫忙。要知道自己發生了什麼，也要明白這一切都會過去。

你會更擔心失去寶寶，甚至是她出生後也一樣。如果你試了六、七年才懷孕，或是分娩時有困難，你焦慮的程度可能一開始就很高，在寶寶出生後可能會更嚴重。就算是領養，甚至一些一般的小毛病、小事故，你都可能會誤解爲潛在性的災難。你也許會過分去聆聽寶寶的監聽器，每一個寶寶發出的小小聲響，都會讓你緊張的跳起來。你也可能會遊說自己一定是「做錯了什麼。」凱拉承認道，她和保羅都很擔心會「害死寶寶」，莎夏一開始吸奶就沒問題，然而，當她三個月大、在胸前搖晃不定時，其實是她吸食更有效率，乳汁更快就沒了，但是凱拉馬上就將這個行爲誤解爲是個「問題」。

再說一次，解藥是自我覺醒。知道自己正在邊緣遊走，所以也許沒有將事情看得那麼清楚。不要急著就下判斷，先去確認一下實際的情形。打個電話給小兒科醫生、新生兒加護病房的護士、或是有比你的寶寶年紀大一點的寶寶的朋友，問問看什麼情形是「正常」的。有些幽默感也無傷大雅。凱拉回憶道「當我神經兮兮的向保羅說尿布不能這樣穿，或是對他大喊大叫，甚至當莎夏不餓或哭泣時，我還說『我現在得餵她吃了。』他會說『親愛的，你又變成老掉牙的FM廣播電台了。』那表示『大驚小怪的媽媽』，通常那時我會驚醒、冷靜下來。」當莎夏三個月大時，凱拉才慢慢放鬆，我發現這是很多焦慮不已的媽媽的典型狀況。

你常會懷疑「我這樣做對嗎？」爲了有寶寶你是多麼深思熟慮、不斷努力才成功的。如果你試了好幾年才懷孕，歷經了繁複、惱人、花時間的領養過程，而且一路都跌跌撞撞，當你最後終於爲人父母時，你可能會懷疑這一切值得嗎；或是有了雙胞胎或三胞胎，服用受孕藥常見的結果，負擔遠超過你所能承受。蘇菲雅，用代理孕母的方式有了寶寶，滿懷感激一切過程都很平順——找到代理孕母梅格姐，將佛萊迪的精子植入，看著她經歷九月懷胎。然而，當遇到照顧寶寶的現實時，蘇菲雅剎時墜落谷底。技術上來說，她的賀爾蒙分泌並沒有因爲懷孕而改變，但是她回憶道「貝卡的出生是帶來許多喜悅，但是我的情緒卻起伏不定，常常自我懷疑。」

蘇菲雅所遭遇的折磨其實是比媽媽願意去承認的來的平常許多。也許因爲這樣的感覺而不好意思，甚至感到可恥，因此不願意去談論。結果，許多媽媽並不知道她們這樣的情緒其實很普遍。內心很低落，當然，沒有人真的願意把寶寶還回去。不過，這情緒會勢如破竹、無法抵擋。因爲沈默，也讓女性有疏離感，很難去相信這些負面情緒和恐懼最終都會過去。當貝卡三個月大那天，蘇菲雅才不經意間變的自在。

如果你對蘇菲雅的故事感同身受，應該要振作起來，你也能克服這些情緒，特別是當你提醒自己這些不會一直揮之不去時。尋求支持——顧問、團體、有同樣經歷的父母。當你去領養、有多胞胎、生產有困難、或是寶寶看來需求過度，就有人可以幫忙。

你更傾向於依賴外在的確認甚於自己的判斷。如果你有去婦科，可能就有發展一些人際關係，這些機構的專家有可能會來電致意。或是假使寶寶的體重不足，你也許會變的依賴醫院裡新生兒加護病房的護士。當寶寶回到家，有可能會像許多婦女一樣，成爲時鐘和體重計的奴隸。每一餐都會計時，問自己「我哺乳時間夠長、有提供給寶寶他需要的營養了嗎？」而且會一直幫她秤重。一直以來，你習慣了醫生和護士的指示，現在卻好像在茫茫大海中被孤立了。

我不是說專業的餵食和正確的評量不需要——在一開始，確定寶寶有上軌道是很重要的。但是在寶寶脫離困境後，父母仍然傾向於依賴這些支援。一旦你知道寶寶有在成長，一星期秤一次就好，不用天天秤。無論如何，不要停止打電話求援，但是在打電話之前，花些時間想一想，你認爲錯的地方和正確的解答爲何。藉由專家來確認你判斷的信心，而不只是來拯救。

視寶寶爲一個獨一無二的人，你會感到有困難。有時候父母會在不知不覺間陷入撫養體弱多病的寶寶的狀況。恐懼和擔憂遮蓋了他們的視線，沒有辦法克服自己的情緒，去看待寶寶早產或是分娩困難這件事。如果你發現自己看待寶寶爲「我可憐的小嬰兒」，這可能就是一個徵兆，你並沒有把他視爲一個個體。記得，就是因爲你的寶寶很努力的才來到這個世界，他絕對是一個個體。當你看到兩千五百公克重的寶寶躺在新生兒加護病房的保育器裡，周圍有一大堆的導管，也許很難會記得這觀念。但是，你還是必須和他展開對談：和寶寶說話、注意她的反應、試著去認識她。當你帶他回家後，特別是當他到了他原先預定出生的日子前，繼續這個仔細、費時的觀察。

類似的情況也會發生在多胞胎——她們變成「小嬰兒們」。事實上，研究發現有雙胞胎的父母，傾向將視線落在兩個寶寶中間，而不是寶寶身上。要用心將你珍貴的寶寶視爲個體，直視她們的眼睛。我向你保證，每一個人都有他自己獨特的個性和需要。

你可能會抗拒一個有條理的慣例。當然，早產兒或是體重不足的寶寶比起一般寶寶餵食和睡覺的頻率都會較高。毫無疑問，我們都希望生病的寶寶趕快康復，所以我們必須提供他藥物治療。通常當寶寶超過兩千五百公克重時，當可以讓寶寶實行E.A.S.Y.的時候，問題就來了，你可能還是用有病的眼光去看待寶寶。你不瞭解在寶寶出生幾個月後，他已經趕上同儕的腳步了。

對領養寶寶的父母來說也是一樣，有時拒絕有條理的規律是因爲他們擔心寶寶要適應的東西太多了。反而試著去依隨寶寶的意思——結果把事情搞的一團混亂。就像我之前說的，他還是個寶寶而已，爲什麼要讓他帶頭呢？在一些過度保護的例子裡，變的像是敬畏寶寶，就像有一對夫妻開玩笑的暱稱他們的兒子「國王嬰兒」。我不是在叫父母不要去珍惜他們的孩子——事實上，恰恰相反。但是我很討厭看到一切失去平衡，寶寶成了發號施令的人。

當前這種養育陷阱是很自然而然，每個家庭都可能會發生，當寶寶早期有些特別狀況時，父母更是容易走錯方向。現在也讓我們來看看一些你可能會面臨的特別課題。

## 特殊生產：領養和代理孕母

所謂的「特殊生產」是指當父母從醫院、代辦機構、律師事務所、或是在機場獲得他們的寶寶。這個時刻通常是在經過漫長、艱辛的日子後才來臨，包括了要申請、家庭拜訪、無數的電話、和生母或是代理孕母會面、當安排不奏效或是在最後一刻被取消時的那種失望。

**提示：如果你領養寶寶，要求生母或是代理孕母播放你的聲音的卡帶，這樣至少孩子在子宮裡時可以聽見你的聲音。**

當女人懷孕時，她有九個月的時間可以好好去準備。雖然一路上想法會反反覆覆，但是懷孕的這段期間，有充裕的時間讓她去習慣這些想法。不只是特殊生產的消息有點突然，將寶寶抱在懷裡的經驗也常常令人感到震撼：有一個養母說過「我記得看到一個個女人走進那道門，每一個人手上都抱著一個寶寶，我想著：天啊，其中有一個會是我的寶寶。」養父母如果必須和他們的寶寶旅行的話，壓力又更大了，調整適應得花兩倍的力氣——第一次見面的影響，接著是帶寶寶回家令人昏厥的體驗。

假定養母沒有懷孕及生產的生理餘震，至少可以維持她的日常生活作息，藉著跑步或是她平常的運動來鬆懈緊張的情緒。不動產經紀人卡洛特經由代理孕母的方式有了雙胞胎，在她兩個小男孩誕生前，她就像是天眞無邪的年輕人一樣。同時，因爲養兒育女的重擔通常是落在新手媽媽肩上，情緒上的負擔是很沈重的。

雖然所有的「特殊生產」共有的是事實是有人幫你懷胎，你必須合法的去領養他，但是在這些型態的準備工作上卻有一些很重要的差異在。首先，以代理孕母而言，在法律上的準備工作就比領養複雜許多，因爲領養已經有許多先例。此外，字面上來說，你是把所有雞蛋全放在一個籃子裡——不只因爲你僅仰賴一個女人，而且有十分之一的失敗率。如果是領養的話，選擇性就較多。

提供寶寶的媽媽她們的潛在動機也各不相同。代理孕母的決定是神智清醒的，去幫助無法懷孕的夫妻。在挑選過程中她所要做的和養母一樣多，當是姊妹或阿姨自願當代理孕母時，甚至有限制。至於領養，生母放棄寶寶是因爲她太年輕或太老，或是經濟上或情緒上沒辦法去照顧寶寶。她也許沒有優先權或是保持繼續聯繫的權利，可能甚至不知道領養人是誰。

代理孕母的方式，養父母通常在她懷孕期間也會介入，他們會確實知道什麼時候可以有寶寶。有些例子，像是蘇菲雅，就和代理孕母很親近，甚至認識她的小孩，代理孕母的家庭最後也變成他們家庭的一份子。蘇菲雅回憶，當梅格分娩時她也在產房，她說：「我是第一個抱貝卡的人，那一天，我抱她回旅館、和她一起睡。」

進行順遂的代理孕母的安排，可以讓整個過程都很實際，而且比傳統的領養來的可預期，父母可能會知道小寶貝何時會來臨。我記得在星期天接到塔咪的電話，她已經申請領養寶寶並詢問我能不能幫忙，讓我們兩個都大吃一驚是，四天後她又打來說道：「崔西，他們告訴我寶寶明天就來了。」沒有太多準備的時間！塔咪得飛行一千哩去醫院接剛做完一系列醫療檢查的寶寶，通常被領養的小孩得做這些檢查，以確定沒有什麼問題。她從未看過他生母，除了健康證書還有打從心底油然生起的愛意要給懷裡的這無助的小寶貝外，沒什麼其他的了。

## 會見你特殊生產的寶寶

當你帶回小寶寶後，有一些事得記在心裡。

保持對談。很明顯的，養母首先要做的事之一，就是和寶寶說話。如果寶寶在子宮裡就已經聽過你的聲音，那更好，但是在許多案例裡，這是不太可能的。實際去介紹自己。告訴你的小孩你覺得多幸運可以去擁有他。

預期頭幾天會很辛苦。對剛誕生、而且不斷被各式奇怪聲音轟炸、又得忍受長途旅行的寶寶來說，回「家」是很令人感到迷惘的。因此，許多被領養的寶寶剛到家時脾氣都特別暴躁。塔咪的寶寶就是一例，爲了緩和他對新環境的恐懼、可以感到舒適，塔咪在頭四十個小時都熬夜陪著小杭特，只有他小憩時她才跟著休息一下，她不停跟他說話，到了第三天，他就沒那麼焦躁了。你可以將他的焦躁不安歸因於長途飛行，但是我依然覺得他懷念他生母的聲音。

不要因爲不能哺乳而洩氣。對於不管是想要親身體驗或是希望寶寶能得到母奶益處的養母，這的確是癥結所在。後者是可以實現的，假使代理孕母或是生母願意唧出乳汁，第一個月就可以有母奶喝。我知道國內許多家庭都會將冷藏母乳。如果是養母想要哺乳的感覺，至少可以藉由補充餵食的組件模擬一下那種體驗。

在開始E.A.S.Y.之前，先花幾天時間觀察寶寶。如果可能的話，讓寶寶盡早實行有條理的規律是很重要的，但是如果是領養，你得花幾天時間就只是去觀察他。當然，這也得看寶寶是什麼時候來的而定。如果是代理孕母的方式，你有機會在寶寶一出生就跟他在一起，如果是這樣，就跟任何生母的作法一樣。但是其他的領養方式，通常都會存在時間落差，從幾天到幾個月（當然，可能更久，你領養的也許是幼童或更大一點的小孩，但是這裡我們關心的是嬰兒）。二、三、四個月大的嬰兒，在孤兒院或是養育之家通常就已經按照日程安排表生活。儘管如此，因爲有其他的壓力，你需要給他一些時間去調整。最主要的是要記得去傾聽。寶寶會告訴你他的需要。

就算新生兒直接從醫院回到家裡，你也需要小心的觀察，去判斷他的喜好和需要。以塔咪的兒子爲例，到了第四、五天，杭特才開始覺得在家，也很清楚的知道他是個教科書嬰兒。乖乖進食，情緒大多可預測，可以一直睡大約兩小時，對泰米而言，要讓他實行E.A.S.Y.的慣例並不會太困難。

然而每個領養寶寶的經驗都不同。你得將寶寶的一切都列入思考。如果寶寶看來特別不知所措，你就不只是不斷和她說話，還要有許多親密接觸比較好，抱她四處走走。事實上，在頭四天你可以複製一個他出生前的環境，將他用嬰兒服包著，靠近你的心臟。不要做超過四天。一旦寶寶看來平靜點、對你的聲音回應大點，那時就可以讓他實行E.A.S.Y.。否則的話，你就有可能會導致意外教導問題的風險，在下一章將會講到。

如果寶寶年紀稍大，變的無法習慣E.A.S.Y.的慣例，而是另一套行程，在每次餐後都會睡覺的話，你可以慢慢去改變他，一樣的，也得給他幾天時間。首先，花些時間去觀察他吃了多少。大多領養寶寶是用奶瓶喝奶粉。既然我們知道奶粉一小時約消耗三十毫升，在每三個小時的循環中，你就可以確定他每一餐都有足夠的喝取。如果她喝奶時不小心睡著了，因為她曾經被訓練這樣做，叫醒她。在餵食完和他玩一會，讓他保持清醒。幾天過後，他就能實行E.A.S.Y.。

記住，比起懷胎生產的女人，你依然絕對夠格為人父母。不管是代理孕母或是傳統的認養，媽媽一開始也許會覺得自己沒資格擁有寶寶，或是知道該做些什麼，但是過了頭三個月，養母和生母已經沒有差別了。女人不需要因為領養而歉疚。畢竟為人父母需要行動、而不是說說罷了。如果你曾經和寶寶相處，當她生病時徹夜陪伴她，扮演每個父母的角色，你就是眞正的爸媽。

每個養父母心裡頭的問題是「為什麼當她長大後，會想去尋找她的親生父母？」這是可以預期但是不用擔心的。你需要去尊重小孩想尋求她的過去的權利——那是她的根，她的決定。事實上，我敢保證你越擔心，他就會越好奇。

開放一點。讓領養的這個想法自然而然成為跟寶寶對話的一部分，這樣你就不必費心要在一個「適當的時間」告訴她眞正的出身。如果是代理孕母的方式，我建議以栽種的比喻來說明。你有個院子，你的鄰居有肥沃的土壤，你把種子給鄰居種，當植物成長時，你就把它移回你的陽台，繼續去澆水灌溉，扶養它們長大。

所謂的「心胸開放」，我不是指你必須跟他的生母或代理孕母保持聯繫，那是很複雜、很私人的決定，最好是夫妻倆深思熟慮再做決定。不管結論是什麼，對你的孩子坦承面對他的出身是很重要的。以卡洛特來說，她並沒有和代理孕母聯絡，他們是將卡洛特的卵子及麥克的精子結合借腹懷胎的。當寶寶一出生，他們就不再和代理孕母有聯繫，因為他們覺得薇薇安完全就是自家人。卡洛特解釋道「她遠離了九個月，現在回到我們身邊了。」在其他男孩的房間裡依然有薇薇安的照片，家族也會提到她的名字。卡洛特會對她的兒子們說「我跟你爸爸是多麼幸運，因為雖然我的肚子沒有懷寶寶，我們卻有了薇薇安，有個好女人讓她住在她肚子裡、照顧她直到她出生。」在他們到家的那天，她都會跟他們說他們出生的故事。

如果懷孕了不要驚訝。這絕對不是古老的婦女傳說，雖然沒人能肯定知道為什麼不孕的女人在領養之後突然懷孕了。蕾吉娜被告知她永遠也不會懷孕，所以她領養了一個新生兒，幾天後，你瞧瞧，她懷孕了。也許懷孕了不會讓她感到有壓力，也可能情況並非如此。不管怎樣，她現在有兩個寶寶——相隔九個月。蕾吉娜對她領養的男孩滿懷感激，她認為是他「幫助」她受孕的，她稱他為她的「神奇寶寶」。

## 早產及緊張不安的開端

說到奇蹟，沒有一件事如此神奇——早產兒或是一出生就有健康問題的寶寶，你害怕她也許熬不過第一晚，結果卻發展成一個身心健全的寶寶。我知道是因為我的小女兒早產了七週，她在醫院裡待了五週。在英國，我們是允許跟寶寶待在一起的，所以頭三個禮拜我也陪她一起待在醫院，之後的兩個禮拜就在醫院裡來來去去，每天晚上回家照顧莎拉，白天再回醫院照顧蘇菲。

因爲我的心情也曾經像坐雲霄飛車一樣，所以我很能體會有早產兒或是寶寶住進新生兒加護病房的父母的心情。今天你可能滿懷希望，隔天你卻因爲她的肺臟出問題而擔心不已的祈禱。我懂那體重一點一點增加的想望、對感染的掛心、成長遲緩的擔憂、還有其他可能發生的問題。你看到寶寶躺在新生兒加護病房裡，而你卻完全無能爲力。你得慢慢復原，賀爾蒙卻不受控制，還要面對寶寶也許會過世的可能。你掛心醫生的每一句話，大半時候卻不記得她說了些什麼。你試著說服自己，雖然有壞消息，卻也會有一些好消息、一些希望。但是每一個小時，你都備受折磨——「她會活下去嗎？」

## 對高危險群嬰兒的情緒起伏

接受死亡及垂死的階段是由伊莉莎白．庫伯樂羅斯（Elisabeth Kubler-Ross）首先確認，那曾經是用來解釋一般狀況，改編後可以套用到任何危機。

震驚（Shock）：你會感到茫然，很難去消化細節或是清楚的思維。最好是有朋友或家人陪在身邊，可以去記住一些資訊和問問題。

否認（Denial）：你不敢相信這怎麼會發生——醫生一定是搞錯了。當你最後看到寶寶躺在新生兒加護病房裡，你才願意去面對現實。

悲痛（Grief）：你對完美的寶寶及理想的生產感到哀痛。對自己感到傷心，更難過的是，你沒辦法帶寶寶回家。你痛在心裡，每一分鐘都是折磨。你常常哭泣——眼淚幫助你繼續往前走下去。

生氣（Anger）：你會問「為什麼是我們？」你甚至可能覺得罪惡，害怕也許你可以做些什麼來阻止問題的發生。你可能會將怒氣發在你的伴侶或家人身上，直到你進入下一個階段。

接受（Acceptance）：你瞭解生命仍然需要繼續。你明白有些事可以、有些事卻是沒法去改變或掌控的。

**提示：記得這重要的一課：重要的是你如何去處理事情，而不是你的生活中發生了什麼事情。**

當然，有些寶寶並不會如此。當然，早產兒如何存活下來，要視情況而定的花邊）。而且，存活的嬰兒也可能繼續有其他問題發生或是需要動手術，這只是讓人的焦慮更形嚴重。但是這當中的許多寶寶，不只是存活下來，而且成長的很好，幾個月後，她們幾乎和同儕沒什麼兩樣。一樣的，當父母帶著早產兒回家，就算他們被告知寶寶已經度過最難的關卡，他們還是非常焦慮，很難讓他們去相信寶寶和其他寶寶並沒有不同。這裡有一些指南可以幫助你存活下來，就像寶寶一樣。

等到寶寶原預定出生日（due date）的那天，才如同一般寶寶一樣對待他。當寶寶重兩千五百公克以上時，醫院才會准許你帶寶寶回家，但是如果那發生在寶寶原預定出生日之前，你得繼續小心謹慎、耐心和氣的去對待他。你的目標就是要讓她盡可能的吃和睡，而且不能被刺激。這是我唯一建議一有需要就餵的時期。

記住：技術上來說，寶寶應該還在你肚子裡，所以盡可能去複製那些情境。用襁褓將他包的像胎位一樣。讓房間的溫度維持在攝氏廿三度左右。你也許有注意到，在新生兒加護病房裡，有時後她們會遮住寶寶的眼睛隔離視覺刺激。在家裡也是一樣，最好讓房間暗暗的。不要在寶寶眼前亮出黑白相間的玩具——她的腦袋狀態還不佳，不適宜被轟炸。也要當心不要讓寶寶暴露在細菌下，特別是早產兒，要更加當心清潔問題，肺炎是很現實的風險。消毒所有的奶瓶。

有些父母有時候會徹夜輪流讓寶寶睡在他們胸前，這稱之爲「袋鼠照料法（kangaroo care）」，被證實有助於早產兒的肺臟和心臟。在倫敦有一個研究發現，比起睡在早產兒保育器裡的寶寶，躺在媽媽懷裡、有肌膚接觸的寶寶，體重增加的速度較快，健康問題也較少。

## 早產兒的存活機率

週數從最後一次的月經期開始算起。以在新生兒加護病房的寶寶為基準，預估值可能因個別狀況而有不同。

| | |
|---|---|
| 廿三週 | 一〇～卅五％ |
| 廿四週 | 四〇～七〇％ |
| 廿五週 | 五〇～八〇％ |

廿六週　八〇～九〇%

廿七週　大於九〇%

卅週　大於九十五%

卅四週　大於九十八%

在廿三至廿四週之間，每多一天寶寶的存活率就提高三至四%；在廿四至廿六週之間，每多一天就提高二至三%。超過廿六個週之後，因為存活率已經很高，所以每天的存活增加率就不那麼明顯。

給她喝奶瓶來替代吸母奶。直到寶寶兩千五百公克重，新生兒專家才會決定她的哺育方式。當寶寶回家時，她的救生索就丟掉了。你最主要的掛念之一，當然會是體重的增加。你需要和你的小兒科醫生討論該怎麼哺育寶寶。我喜歡讓她喝奶瓶的理由是，理想上是唧出母奶，這樣我可以看到寶寶喝了多少。此外，有些寶寶吸奶會有困難。這要看你的寶寶早產多久，他也許還沒發展吸吮的本能反應，懷孕約

### 當寶寶不能回家

如果寶寶早產或是在醫院裡產生了什麼問題，你可能會比她還早回家。這裡有一些策略可以讓你覺得參與更多，我也希望，能讓你覺得不那麼無助：

◎在六至廿四小時內唧出你的乳汁，帶去新生兒加護病房。不管你最後決定要不要哺乳，母奶對寶寶來說很好。然而，如果你沒有分泌乳汁，讓寶寶喝奶粉一樣能成長茁壯。

◎每天都去看寶寶，試著有一些身體接觸，但是不要生活在醫院。你自己也需要休息，特別是當寶寶回家時。

◎預期到會沮喪，那是很正常的。可以哭出、說出你的害怕。

◎每天告訴自己一次，擔憂無法控制的未來是沒有意義的。專注在你今天能做的事情上。

◎和其他一些也面臨問題的媽媽聊聊。你的寶寶也許有麻煩，但是她不是唯一需要幫助的人。

卅二至卅四週才有可能發生，如果他在這之前就出生，他不會知道如何去吸奶。

監控自己的焦慮，找個管道發洩掉。你想要常常抱著寶寶，以彌補你錯失的那些時間。當她睡覺時，你好害怕她不會再醒來。你在期間的這些感覺和其他想要去保護的強烈慾望，是可以被理解的。然而，焦慮無法幫助寶寶。完全不利的是，研究指出寶寶可以直覺到媽媽的悲痛情緒，反而被其所影響。尋求其他成人支持是極其重要的——那些能道出你最深的恐懼，鼓勵你在他們懷裡哭泣的人。可能會是你的伴侶。畢竟，還有誰更瞭解你的擔憂呢？但是因爲你們兩個都處於一樣的困境，兩人都各有其他能依賴的人是很有幫助的。

運動也能排解壓力。或是藉由藥物平靜下來。不管哪種方式，只要有效就行，而且要持續做。

當寶寶脫離險境後，就不要以早產兒或生病寶寶來看待他。如果寶寶早產，或是雖然沒有早產、出生時卻有狀況，你最大的障礙可能會是無法去克服伴隨這個經驗而來的不祥預感。在你心中，可能還是會覺得你有個體弱或多病的寶寶。更確切的說，當父母因爲吃飯或睡覺的問題而打電話來時，我問的第一個問題是「她是個早產兒嗎？」下一個問題是「出生時有任何問題嗎？」通常，兩者或是其一的答案會是是的。專注在增加體重上，父母傾向過度餵食，在寶寶已經進入正常範圍後很長一段時間，他們還是會繼續替他秤重。我看過寶寶已經八個月大還睡在父母胸前，仍然會在半夜醒過來要進食。矯正的方式就是E.A.S.Y.，讓寶寶依循有條理的慣例不但對她有好處，也是極爲體貼自己的作法。（在下一章，我會分享一些這些父母的故事，解釋我如何幫助他們解決問題。）

## 你的多重喜悅

幸運的，拜超音波技術之神奇，在現代女人生產超過一個寶寶並不會讓人感到太驚訝。如果懷了雙胞胎或三胞胎，就有很大的機會，假使不是最後的三個月至少在懷胎的最後一個月，得躺在床上好好休息。除此之外，多胞胎有八十五%的機率早產。因此，我會建議父母在懷胎第三個月就開始準備育兒事宜，甚至那時才開始都有可能太晚了。我最近遇見一位媽媽，懷孕第十五週起就得躺在床上休息，她得依賴其他人幫她準備她雙胞胎的東西。

因爲她們懷孕很辛苦，而且通常是剖腹產，有多胞胎的媽媽除了在寶寶出生後的負荷多了二、三倍，她們也特別需要恢復。但是我可以告訴你雙胞胎的媽媽最不想聽到的就是「哇，你眞是了不起，眞會生。」撇開事實不說，這些意見通常是來自於一次只生一個的人說的，那是很平淡無奇、沒什麼幫助的論點。我偏好這樣去說「你有了雙倍的快樂，而且已經替你的小孩找到玩伴了。」

當雙胞胎早產或是不足兩千五百公克，要小心我之前建議早產兒的一些事項。最大的不同在於你一次得擔心兩個而不是只有一個。雙胞胎不見得能同時回家，因爲其中一個可能較輕或是被認爲比另一個虛弱。不管如何，我會讓她們睡同一張嬰兒床。漸漸的，差不多約八至十週大，或是他們開始去探索世界、抓取東西時，包括他們的兄弟姊妹，我會開始進行分隔他們的程序，約兩個禮拜，我會讓他們之間的距離隔的越來越開，最後，每個人都自己睡自己的床。

一旦寶寶度過可能會有併發症的時點，最好就開始交錯安排他們的慣例。同時餵食兩個寶寶是可能的，但是就更難將寶寶視爲獨立的個體，而且，對你來說也比較困難。也許你可以同時餵食，但是其他像是打嗝或換尿布，還是得分頭進行。

雙胞胎或三胞胎最迫切的課題就是，媽媽看起來似乎都沒辦法休息一下，還需要撥些時間和寶寶個別相處。難怪乎，多胞胎的媽媽馬上就接受有條理的規律，因爲那能讓她們的生活簡單一點。

拿芭芭拉來說，當我建議她讓她的寶寶們約瑟夫及海力實行E.A.S.Y.時，她很高興。約瑟夫因爲體重不足還得在醫院多待三週，雖然得離開他讓人心碎，也給了芭芭拉機會讓海力依循慣例。因爲海力在醫院就是三小時餵一次，要讓他上軌道對我們而言是很簡單的。之後，當約瑟夫回家時，就讓他在哥哥進食後四分鐘換他吃，兩個人的規律就這樣建立。

雖然芭芭拉決定讓寶寶喝母奶，我通常也建議媽媽這樣做，但是當你正從剖腹產回復時，要持續的唧出乳汁和哺乳是很辛苦的。當然，如果雙胞胎是你的第二胎的話，那就更辛苦了，就像是肯德絲，在生了一個女兒泰拉滿三歲時，又生了一對龍鳳胎。怪的是，肯德絲的雙胞胎比她還早離開醫院，因爲她是自然產，大量出血。她的醫生吩咐她多留三天，直到她血小板的指數回升。肯德絲的媽媽和我照顧寶寶們，馬上讓他們施行E.A.S.Y.。

當肯德絲回到家，已經直接跳過緊張時刻：「幸運的是，我是個全職媽媽，一開始就能在身體狀態健康下去著手進行。」肯德絲也認爲因爲這不是她的第一胎，她不會「感到壓力、緊張」。一開始她也察覺到克理斯多夫和莎曼莎的性格，所以能將他們視爲獨立的個體。「克理斯多夫甚至在醫院哺育時，都讓人感到美好愉快——他們得去激他才會哭；莎曼莎的出現則是磨難，直到今天，甚至當你幫她換尿布時，她都表現的像是你在折磨她一樣。」

在頭十天，肯德絲都沒有分泌乳汁，到了第六週，她的供應依然不足，所以她的雙胞胎也快樂的奶粉跟母奶一起喝。不難理解，再加上三歲的泰拉在一旁搞怪，肯德絲忙得很。「我每個週三都和泰拉在一起，其餘整天在家的日子，我就是不斷的在哺乳、唧乳、換尿布、哄他們睡覺，只有半小時的空閒——在一切重來開始的時候。」

也許多胞胎最令人驚奇的部分是，一旦你度過開始的適應期，雙胞胎或三胞胎就變的比較容易去照顧，因爲他們會互相逗弄彼此。一樣的，肯德絲發現了大多有雙胞胎的媽媽所必須接受的事：有時候你得讓他們哭。「我曾經這樣想：喔，不會吧，我該怎麼做？但是你一次只能安撫一個，那是你所能做的。他們不像會哭死的。」

事實上，在這章的最後，這個觀點值得再複述一次：重要的是你如何去處理事情，而不是你的生活中發生了什麼事情。這點也一樣記在心裡，許多無法預期的狀況以及生產的創傷，在幾個月後，一切都會成爲很遙遠的記憶。處理一般撫育問題時，也和處理不尋常的狀況像是創傷一樣，關鍵在於要將眼光放遠。在下一章，我們將探討一些當父母沒有妥善管理、保持頭腦清晰、明智的照料時所產生的一些問題。

# Part 9 三天神奇魔法

如果我們希望去改變孩子的任何事的話，我們應該先檢視一下，看看是不是去改變我們本身比較好。

——榮格（Carl Jung）

## 「我們根本毫無生活可言！」

若是父母沒有一決定就開始去做，最後可能都以我所謂的意外的養育收場。就像梅樂妮和史登，他們的兒子史賓瑟早產三週，所以在一開始一有需要就餵食，雖然他很快就恢復過來，但是在家的頭幾週，梅樂妮還是很擔憂他的健康，她也讓史賓瑟跟她一起睡，因爲在半夜要餵他好幾次也比較方便，當白天史賓瑟哭時，父母就像團隊一樣合作，把他放在嬰兒車裡、搖動並哄他，或是抱著他四處走動，讓他養成「袋鼠」撫育的安撫習慣，允許他睡在他們身上，梅樂妮成了安撫奶嘴，當史賓瑟看來沮喪時，她就提供胸部，當然那時他會停止吵鬧，因爲嘴巴塞滿東西。

寶寶八個月大時，這對善意的父母了解到寶寶已經主宰了他們生活。除非抱著史賓瑟在房間裡走動，不然他不會入睡，而他那時已經接近十五公斤，而不是三公斤！他們晚餐老是被打斷，梅樂妮和史登永遠找不出「適當」時機將史賓瑟從他們的床移回嬰兒床，這天梅樂妮和史賓瑟一起睡，史登就在客房好好睡一覺，隔天再換人，可想而知，梅樂妮和史登也沒有性生活。

很明顯這對夫妻並不希望家庭生活因爲「意外的養育」變成這樣。更糟的是，他們有時會爲此爭吵，有時，甚至還會怨恨寶寶，而他不過是被他們訓練成這樣而已。我去拜訪他們時，局勢極度緊繃。沒有人是快樂的，就算是史賓瑟也一樣，他從來就沒要求要主導一切！

梅樂妮和史登的故事是我接觸的典型情況，有時一週有五至十個案例，是那些一決定後卻沒有開始去做的父母。他們會發表像是「他不讓我放他下來」或「她只吃十分鐘就不吃了」的意見，好像寶寶故意堅持什麼才是最好的。實際卻是父母不經意間強化負面行爲。我寫這章的目的不是要讓你覺得後悔，而是要教你如何讓時光倒流、免除這些意外養育的結果。如果寶寶做了某些事讓你們沮喪、打擾你們睡眠，或是讓你生活不正常，你絕對有辦法可以阻止。然而，我們得基於以下三個前提。

1．寶寶不是存心故意的。父母常忽略他們對寶寶的影響，他們塑造了寶寶的期望。

2．你可以不訓練寶寶。藉由分析自己的行爲——你所做去鼓勵寶寶的——就有辦法改變不經意間鼓勵的壞習慣。

3．改變習慣需要時間。如果寶寶不滿三個月，通常三天就可以改變過來，甚至還更短。但是如果寶寶大於三個月，這些行爲又持續一段時間，要改變就得按部就班來。需要更長的時間一通常每個步驟要花三天，你必須很有耐心，才能讓想改變的行爲「漸漸消失」，不管是睡覺或餵食問題。你得堅持到底，如果太快放棄，或是反覆無常的話，試著一天採用一種策略，隔天再換另一種，最後就能激發出想要的新行爲。

## 改變壞習慣的ＡＢＣ

當父母處於與梅樂妮和史登一樣的情境時，他們常會感到絕望。他們不知道該從何下手。因此，我想出一個策略讓父母能分析自己的問題，藉此幫助他們理解該如何改變這困境。就是簡單的ＡＢＣ技術。

「Ａ」代表前因（antecedent）：發生什麼事。你做了什麼？你替寶寶做了或沒做什麼？寶寶身處的環境到底發生什麼事？

「B」代表行爲（behavior）：寶寶發生什麼事。他哭了嗎？他看起來或聽起來生氣嗎？害怕嗎？餓了嗎？他做的是平常做的事嗎？

「C」代表結果（consequences）：經過A與B所建立出的結果。意外養育的父母，沒有察覺他們強化哪些行爲，一切還是依照往例一樣進行，例如，搖動寶寶哄他入睡或是用乳房塞她的嘴。這些動作也許暫時解決眼前的情況，但是長期卻強化這習慣。因此要改變結果的關鍵在於做不同的舉動，引進新行爲，讓舊有行爲漸漸消失。

舉個具體的例子，梅樂妮和史登就是個很困難的案例，因爲史賓瑟已經八個月大，而且很習慣在半夜要父母的注意，爲了重新主宰他們的生活，他們得採取幾個步驟讓意外養育的效果消失。我首先協助他們分析情境。

這個例子的前因是他們持續的擔憂，他們一開始很關心他們的早產兒。爲了養育他，父母兩人輪流搖動他、讓他躺在他們胸前，此外，爲了安撫他，媽媽用乳房來提供他慰藉，史賓瑟的行爲也與此一致，常常暴躁不安、需求不斷。這個模式也變的根深柢固，因爲每當史賓瑟一哭，父母就介入，依照慣例去做。結果是史賓瑟八個月大時，沒辦法自我慰藉，也不會自己入睡。爲了改變這個情形，這些意外養育所引發的副作用，他們得做些不同於以往的事。

## 一次採取一個步驟，以寶寶的步調進行

我曾經協助梅樂妮和史登回溯一系列的前因，然後一步步採取行動去打破。換句話說，我們讓一切從頭，消弭那些曾經採取的動作。讓我帶你回顧這些過程。

觀察並研擬出策略。一開始，我只是在一旁觀察。我觀看史賓瑟在傍晚的行爲，從他洗澡後，換上新尿布、穿上睡衣，梅樂妮試著放他在嬰兒床入睡。當梅樂妮抱著他走向嬰兒床時，他驚恐地緊緊抓著媽媽。我告訴梅樂妮他在說：「你要做什麼？這不是我睡覺的地方，我不要去那裡。」

我問：「你認爲他爲什麼這麼害怕？以前發生過什麼事？」史賓瑟恐慌的前因是很清楚的：梅樂妮和史登曾經孤注一擲地要破除史賓瑟在他們胸前睡覺的習慣。他們讀過所買的每本睡眠書籍以及詢問過寶寶有睡覺問題的朋友後，他們決定對史賓瑟採取「費伯法」，不止一次、他們試了三次，「我們放任他哭，但是每當他哭得很用力、很久時，我們也跟著他一起哭。」第三次，當史賓瑟哭得強烈到嘔吐時，他的父母明智地放棄這個策略。

我們需要做的第一件事：讓史賓瑟在嬰兒床上覺得安全。因爲很明顯的，他獨自在嬰兒床上時很害怕，我告訴梅樂妮得非常耐心、謹慎，不要做出讓他想起創傷的事情。只有這個問題解決，才能去處理史賓瑟在夜晚的行爲以及每兩個小時就要餵一次的需要。

緩慢從事每個步驟，不能加速那個過程。史賓瑟足足花了十五天才克服對嬰兒床的恐懼。我們必須把這個過程分成小小的步驟，一開始從小憩著手，首先，我讓梅樂妮走進史賓瑟的臥房，放下窗

簾，放些緩和的音樂，她只是坐在搖椅上抱著史賓瑟。第一個下午，她甚至沒有靠近嬰兒床，史賓瑟一直看著門。

梅樂妮焦慮地說：「這不會奏效的。」我告訴她：「會成功的，但是有好長一段路得走，我們得依照寶寶的步調進行。」三天後，我站在梅樂妮身旁，重複一樣的事：進去他的房間，拉上窗簾，放些音樂。一開始梅樂妮只坐在搖椅上，溫柔地唱歌給史賓瑟聽，催眠曲分散他的恐懼，但是他眼光還是集中在門上。接著她抱著史賓瑟站起來，小心不要太靠近嬰兒床，以免驚嚇到他。接下來的三天，梅樂妮漸漸接近嬰兒床，一直到她能站在嬰兒床旁而史賓瑟沒有大叫。到了第七天，她把他放在嬰兒床，但是仍抱著他，彎得很低接近他的身軀。就像是她還是抱著他，但是他已經躺下了。

這是一個突破性的進展。三天後，梅樂妮可以抱著史賓瑟進入房間，將光線調暗，放些音樂，坐在搖椅上，然後靠近嬰兒床，將他放下。但是還是繼續傾向他，向他一再保證，她就在那兒，他很安全。一開始，史賓瑟都貼在嬰兒床邊邊，幾天後他才放鬆一些。他讓自己分散注意力，從我們身上一直移轉到兔子玩偶上，那時他警覺到自己逛得太遠，很快地更加警覺盯著嬰兒床的柱子。

我們不斷重複這個習慣，每天往前走一小步。梅樂妮站在嬰兒床旁而不是抱他；最後，她只要坐在那裡就好。到了第十五天，史賓瑟很樂意去躺在嬰兒床。只要他一睡著，他會叫醒自己坐起來，每次讓他躺下，他會哭一下子就開始放鬆，甚至開始睡覺的三部曲。我告訴梅樂妮不要急著去介入，這可能會打斷他的睡眠過程，又得重頭再來一次。終於，史賓瑟學會如何自己進入夢鄉。

一次解決一個問題。記得，我們幫史賓瑟克服他的恐懼，但只是在白天而已，我們尚未嘗試去改變其他夜晚的課題—他還是跟父母一起睡，會醒過來要進食。當處理一個多層次的議題時，就像這個，需要時間和耐心。就像英國的諺語「一隻燕子無法造就一個夏天（One swallow doesn't make a summer）」。當我看到史賓瑟不再視嬰兒床為陌生地方時，我知道他已經覺得安心，可以繼續著手其他問題。

我告訴梅樂妮是時候停止夜間餵食了。按慣例，史賓瑟已經開始吃固體食物，在晚上七點半餵食後，就到父母床上，斷斷續續睡著直到隔天早上，每兩個小時他就會醒來要吃奶。這個的前因是每當史賓瑟在半夜醒來，媽媽就以為他餓了而餵他，所以他每次只進食卅或六十毫升。他持續醒來的行為被梅樂妮天眞的善意所強化。結果史賓瑟期待每兩個小時被餵一次——對早產兒來說是適當的，但是對八個月大的寶寶可不是這麼回事。

相同的，我們得按部就班解決問題。前三個晚上，規矩是不到凌晨四點不餵食，接著是早晨六點，到那時他可以喝一整瓶。因為父母遵守計畫，當他第一次醒過來就給他安撫奶嘴，而不是梅樂妮的乳房，到了六點才讓他喝奶瓶，到了第四晚史賓瑟就接受了這個新計畫。

過了一週，我告訴梅樂妮和史登是時候讓我陪他睡了，這樣父母可以好好休息，同樣重要的是，我得教史賓瑟在他的床上自己入睡，不需要藉助爸爸、媽媽或是奶瓶。他白天有吃固體食物、喝了一堆奶，所以他在夜晚不用再進食。他樂意的小憩差不多持續十天了。現在引進他自己入睡的點子滿合理的——一覺到天亮。

有習慣回復的準備，因為舊有的習慣很難改變；你必須將自己交給計畫。第一晚史賓瑟洗澡後我們就放他在嬰兒床上，就像白天所做的一樣。他上床後看起來已經累了，但是當我們放他在床墊上，他的眼睛砰地睜開，開始暴躁不安。他站在嬰兒床的邊邊，我們讓他躺下，坐在嬰兒床旁。他又開始哭，站了起來。我們又讓他再躺下。一直到第卅一次讓他躺下，他終於乖乖躺著、然後睡著。

第一晚，他約莫在凌晨一點醒來並哭著。當我進入他的房間，他已經站在那。我溫柔地讓他躺下。我一句話也不說，也不看他的眼睛，以免刺激他。幾分鐘後，他又開始暴躁不安，站了起來。事情就一直這樣持續。他哭、站起來，我讓他躺下。一直這樣進行了四十三次，他累了，終於睡著了。到了凌晨四點，他又開始哭。史賓瑟對他的習慣多麼忠誠，你可以從他的行爲設定個時鐘。一樣的，我又讓他躺下。這次只重複了廿一次。

（沒錯，親愛的，我的確去數次數。我常常被要求去處理睡眠的問題，當媽媽問我時「這得歷時多久？」我希望至少給他們一個精確的範圍。有些寶寶甚至得數上上百次。）

隔天早上，當我告訴梅樂妮和史登發生的事，史登懷疑道「崔西，這行不通的。他對我們才不會如此。」我承諾兩天後我再回來，我說：「信不信由你，我們已經度過最糟的了。」

結果證明，第二晚，只花了六次就讓史賓瑟入睡。凌晨兩點，當他醒來，我躡手躡足進入他的房間，在他肩膀要離開床墊時，我就讓他躺下，只重複了五次，他睡到早上六點四十五分，他從來不曾如此。隔晚，史賓瑟在凌晨四點醒來，但是沒有起身，一直睡到早上七點。從那時起，他在晚上會持續睡上十二個小時。梅樂妮和史登終於又有了自己的生活。

## 「他不讓我放他下來」

讓我們再看看利用ABC方法解決的常見問題：寶寶總是要人抱著。就像莎拉和萊恩三星期大的寶寶泰迪一樣，你在第二章曾經見過他。莎拉悲嘆道：「泰迪不喜歡被放下來。」前因是，當泰迪誕生時，萊恩正在旅行中，每當他回家就很開心地要和寶寶在一起，他常常抱著他走來走去。莎拉請的保母是從瓜地馬拉來的，那兒的寶寶也是常常被抱。所以小泰迪的行爲可以預期，我也見過好幾百個像他這樣的寶寶：當我把他放在我的肩膀上，他就快樂得像隻小鳥。但是當我開始要放他下來——他離我的胸部不到廿公分——就開始哭。如果我停止動作，轉個方向，讓他又回到我的肩膀，他馬上就停止哭泣。莎拉總是讓步，想說泰迪不想「讓她」放他下來，卻強化這個習慣。這一連串事情的結果就是泰迪總是要人抱。

抱著寶寶或是用鼻子去輕撫他並沒有錯。而且，哭泣的寶寶本來就應該被適當的撫慰。問題在於像我稍早提過的，父母通常不知道撫慰的結束和壞習慣的開始分界在哪。他們繼續抱著寶寶，超過寶寶的需求。然後寶寶決定（當然是從寶寶的心裡來說）「喔，原來生活就是這樣：爸爸或是媽媽總是抱著我。」但是當寶寶變重了，或是父母有工作不是那麼容易一直帶著寶寶時怎麼辦？寶寶會想「嘿，等一下。你應該要抱著我才對。我才不自己躺在這裡呢。」

該怎麼做？改變你的作法，去改變結果。不要不停地抱著他，他開始哭時抱他，當他一平靜下來就放下他。又哭時就再抱他。安靜時，就再放他下來。就是這樣去做。你也許得抱他廿次或卅次或更多次。本質上，你是在說「你沒事的，我在這裡，你自己在那沒問題。」我保證這不會一直持續下去，除非你又安慰過頭，超過他所需求的。

## 三天神奇魔法的祕訣

雖然父母有時認爲我所做的非常神奇，其實只是一般常識而已。就像梅樂妮和史登的情形一樣，你可能預計花數週的時間去改變。另一方面，我們改變泰迪要人家一直抱著的需求花了兩天，因爲前因－爸爸和保母常常抱著他的情形只有數週而已。

我利用ＡＢＣ策略來正確分析我所需要的三天神奇魔法。通常，一、兩種技術就可以成功，讓舊有的行爲漸漸消失。持續進行三天，去撤銷你曾經做的，支持可以建立寶寶獨立、足智多謀的行爲。當然大一點的寶寶要改變舊有習慣比較難。事實上，我大多接到父母求救的電話，都是寶寶已經五個月大或更大時。

## 改變的習慣ＡＢＣ

記住：任何你試著要改變的壞習慣，都是你曾經做過的事的結果（Ｃ），前因（Ａ）不小心導致現在想要去遏止的行爲（Ｂ）。如果你繼續做著一樣的事，只是強化一樣的結果而已。只有做不同的事改變作法才能破除習慣。

在後面的「問題解決指南」提供了我被請去協助改變的常見壞習慣的快速總覽。然而，每個例子都有些常見的頭緒。

睡覺的問題。當寶寶沒有一覺到天亮（三個月大之後）或是沒辦法自己入睡就麻煩了，首先，讓她適應自己的床，再教導她在沒有你的安撫下如何睡著。最糟的情節，通常意外的養育已經好幾個月了，寶寶也許會害怕嬰兒床。有些例子是因爲習慣你的抱抱或是去搖她，結果是嬰兒從來就沒學會自己入睡。

我見過一個寶寶珊卓拉，她徹底以爲人的胸部就是她的「床」。每次我試著要放她下來，她就哭。她在對我說：「這不是我睡覺的方式。」一開始，要放她下來甚至躺在我身邊都不可能。我的工作就是教導珊卓拉另一種睡覺方式，我也不斷告訴她：「我來幫你學會自己入睡。」當然，一開始她很懷疑也對學習不特別感興趣。第一晚我抱她又放下共一百廿六次，第二晚卅次，第三晚四次。我從來不讓她「哭出來」，也不使用他父母曾用來讓她平靜的袋鼠法，那只會持續她的睡覺難題而已。

餵食的問題。當不好的進食習慣成爲問題，前因通常是父母誤解寶寶的暗示。以蓋兒來說，抱怨餵食麗麗需要花上一小時，甚至在我拜訪前，當麗麗滿月時，我曾觀察過她，也不會吃上六十分鐘，她只是在安撫自己而已。蓋兒發現哺乳很輕鬆——她的催產素大概分泌很多——她自己常常覺得昏昏欲睡。她餵到一半常常就昏睡，十分鐘後又突然醒過來，發現麗麗還在吸吮。雖然我叫許多媽媽把計時器扔到垃圾桶，這個例子，我建議蓋兒設定四十五分鐘。更重要的是，我告訴她仔細觀察麗麗如何吸吮。她眞的在吃嗎？蓋兒發現每次餵食最後麗麗都會安撫自己。所以當計時器響了，就讓麗麗吃安撫奶嘴，而不是吸吮媽媽的乳頭。三天後，我們就不再需要計時器了，因爲蓋兒比較了解寶寶的需求了。當麗麗長大一點，也不再需要安撫奶嘴，因爲她找到了自己的手指。

通常針對餵食的問題，寶寶的行爲可能是取得足夠的營養後還是持續吸吮。她也可能斷斷續續吸乳頭——以她的方式試著告訴你：「媽咪，我現在吃的比較快，不用花那麼多時間就可以把奶吸完了。」如果你不了解他所說的，你會傾向哄他重回你的胸部，然後他又繼續吸吮，那就是寶寶會做的事。或是他可能會在半夜醒來要吸奶，事實上，他並不需要。不管是哪種情況，寶寶學會將你的胸部或是奶瓶當作一種安撫，這種結果對你或是寶寶都不好。

不管是什麼行爲，我所做的第一件事都是建議實施有條理的規律。在E.A.S.Y.之下，猜測會比較少，因爲父母知道何時寶寶應該餓了，能對寶寶的暴躁不安找出其他原因。但是我也鼓勵父母去觀察發生什麼事，評估寶寶是不是眞的餓了，如果不是的話，漸漸消除不必要的額外需求，教導孩子其他撫慰的方式。一開始我會讓額外需求的時間縮短，讓寶寶在胸部上的時間變少或是吃少一點，我可能會讓她喝水或是使用安撫奶嘴來轉變。最後，寶寶甚至不記得原來的習慣，這也是爲什麼看來像是神奇魔法。

## 「但是我的寶寶腹絞痛」

這是我的三天神奇魔法受到試驗的地方。你的寶寶大哭，腳伸向胸部。他是不是便秘？脹氣？有時他看來是如此痛苦，你的心都要碎了。你的小兒科醫生和其他媽媽都有這樣的經歷，叫做腹絞痛－每個人警告你對此無能爲力。就某部分而言，那是正確的。腹絞痛沒有眞正的療法。同時，腹絞痛也變成被人過度引用的情況，用來描述任何困難情況。許多這些困難情形都可以變的好一些。

我向你保證如果寶寶有腹絞痛，那肯定是個惡夢。約有二〇%的寶寶遭受過腹絞痛，其中的一〇%被認爲是很嚴重的情形。腹絞痛的寶寶，覆蓋胃腸或是泌尿生殖器的肌肉組織會開始斷續收縮。一開始的徵兆通常是暴躁不安，然後接著拉長音節的哭泣，有時候會哭上幾個小時。典型的情況是每天會在近乎同樣的時間發作。小兒科醫生有時候會利用「三的規則（rule of three）」診斷——每天哭三小時，一週哭三天，持續三週或更久。

娜迪雅是一個典型的腹絞痛寶寶，她幾乎一整天都掛著笑容，然後從第六天到第十天，每一個晚上她都在哭，有時是持續的哭、有時是斷續的哭。只有和她一起坐在黑漆漆的櫥櫃裡才能喘息一下，因爲那隔絕了所有的外在刺激。

娜迪雅的媽媽愛麗斯和寶寶一樣痛苦憂傷，比起一般的新手媽媽，睡眠更是少的可憐。她也需要幫助，就像娜迪雅一樣。要管理情緒就是一項全天候的工作。能確定的是，有時候給腹絞痛父母最好的建議就是「對自己好一點」。

## 讓自己休息一下

在一屋子的媽媽中，就算沒有嬰兒在哭泣，也很容易就可以認出有腹絞痛寶寶的媽媽。她是看起來最累的那一個。她認爲是自己的錯，才會生個「壞」寶寶。這沒有道理。如果你的寶寶有腹絞痛，顯然那是個問題，但是並不是你導致的。要安全度過這個時期，你需要的支持和寶寶一樣多。

停止彼此指責，你和伴侶需要互相寬慰。許多嬰兒的哭泣就像時鐘一樣，比如每天從三點哭到六點。所以可以輪流。如果今天是媽媽，明天就輪到爸爸。

如果你是單親家庭，試著列出祖父母、兄弟姊妹、或是朋友的清單，當發生的時刻時來停留一下。當可以喘口氣時，不要坐在那聽寶寶哭，離開房子，讓自己散散步或是兜兜風，做些讓自己遠離那個環境的事。

最重要的是：雖然寶寶感覺會一直腹絞痛，我向你保證，一切都會過去。腹絞痛通常突然發生在第三或第四週，像謎一樣約三個月大時就會消失。（其實一點也不神秘。在大多數的例子裡，那時消化系統成熟、痙攣減輕。那時寶寶更能控制四肢，可以找到自己的手指自我撫慰。）但是，在我的經驗裡，有些被貼上腹絞痛的標籤，其實是意外的養育的副產品——父母極度渴望讓哭泣的新生兒安靜下來，要不搖動他哄他睡，要不就給他胸部或是奶瓶來安撫他。這些看來像是「治癒」孩子，至少有一會兒的時間。可是同時，當寶寶沮喪時也開始期待這樣的安撫法。當寶寶幾星期大時，結果沒有什麼方法可以再安撫他，大家都以爲他腹絞痛。

許多父母告訴我寶寶有腹絞痛的情節，就跟克蘿和席斯說法很類似，在第二章曾提過他們。在電話上克蘿跟我說伊沙貝拉被腹絞痛所苦：「她幾乎一直在哭。」席斯抱著他臉圓嘟嘟、一派天眞無邪的寶寶站在門口和我打招呼，在邀請我入內後，就馬上將寶寶交到我手上，接下來的十五分鐘，寶寶滿足地待在我的膝上。

克蘿和席斯這對年輕的夫婦，是個十足的放任者。由於他們漫不經心，慣例可能得很久才能發揮功效，去幫助他們五個月大暴躁不安的寶寶，他們就是希望一切順其自然、輕鬆以對，可是看看他們讓伊莎貝拉也自由放任生活的結果。

克蘿說：「她現在比較好了，也許是終於長大、不會再腹絞痛了。」媽媽開始解釋，伊莎貝拉從出生就睡在父母床上，大半夜還是一樣常常醒來，放聲大哭。在白天，情形也差不多，甚至在哺乳時也會放聲大哭，一、兩個小時就來一次。我問他們如何去安撫她。

「有時後我們替她穿上孩童用的防雪裝，因爲那可以讓她不要動得那麼厲害。或是搖搖她，放門合唱團（Doors）的音樂給她聽。如果眞的哭得太厲害，我們會帶她去兜風，希望那速度可以平撫她。」克蘿補充道「如果沒有效，我會坐到後座去，讓她吸吮我的乳頭。」席斯也說道「變化活動時，有時可以拖延她一下。」

這些充滿愛心的父母不知道他們所做的事都適得其反。利用ＡＢＣ的技術揭露了五個月來所混雜、強化的情境。因爲伊莎貝拉的生活幾乎毫無規律可言，她的父母常常誤解了她的暗示，每一次的哭泣都被以爲是「餓了」。前因就是餵過頭而且被過度刺激，寶寶表現出的慣例就是放聲大哭。結果是過度疲累的寶寶不知道如何去轉換自己。誤解她的暗示，以爲自己發明了許多新方式來讓她「暫停一下」，父母不經意間讓她變的苦惱，讓問題更加複雜。

幾乎每一回，伊莎貝拉開始發出小小的、像咳嗽一樣的哭聲——很明顯（至少對我而言是），她是在說「媽咪，我受夠了。」

克蘿說「看到了嗎？」席斯也插話說「喔，慘了。」

我假裝替伊莎貝拉發言：「爸媽，不要動了，我累了。」

然後我解釋：「竅門就在於，在她變的太過沮喪前，立即放她下來。」克蘿和席斯領我上樓去他們房間，有一張大床、室內陽光普照、牆上還有好多畫作。

一個顯而易見、需要糾正的問題馬上出現：房間太亮，有太多刺激，伊沙貝拉的情緒沒有轉圜的餘地。我問道「你們有沒有搖籃或嬰兒車，我們試著讓她睡在那兒。」

我示範給克蘿和席斯看，如何用毛毯將伊莎貝拉包住。我讓一隻手臂伸在外頭，向他們解釋五個月大的寶寶可以控制她的手，也許可以找到她自己的手指頭。接著我走出房間、走到比較暗的走廊去，將包的緊緊的寶寶抱在懷裡，富韻律地輕輕拍打著，溫柔的向寶寶說道：「沒事，小寶貝，你只是累了。」幾分鐘後，她就靜下來了。

當我將伊莎貝拉放到搖籃、繼續輕拍時，她的父母從驚訝轉成懷疑。她安靜幾分鐘後又開始哭。所以我又抱起她、安撫她，當她安靜時就又放回搖籃裡。大約重複超過兩次，然後她父母瞠目結舌，伊沙貝拉睡著了。

我告訴克蘿跟席斯：「我預計她不會睡很久，因為她已經習慣小睡片刻。你們現在的工作就是讓她小憩的時間拉長。」寶寶的睡覺週期就像成人一樣約有四十五分鐘的過程。當伊莎貝拉一發出一些嘀咕聲，她的父母總是匆忙介入，所以她還沒學會如何自己入睡，他們得教她才行。如果她十或十五分鐘就醒來，不要以為她已經睡夠醒來，得教她再次進入夢鄉，就像我所做的一樣。最後，她就學會如何自己睡著，小憩的時間就會延長。

席斯顯然很關心的問道：「她的腹絞痛怎麼辦？」我解釋：「我猜想你們的寶寶不是眞的腹絞痛，但是果眞是的話，有一些事情你們可以做、讓她舒服一點。」

我試著讓這些父母了解，如果伊莎貝拉眞的腹絞痛，他們毫無規律的家庭生活只會增強她有的任何生理問題。但是我相信她的不舒服是因爲意外的養育所導致。每次伊莎貝拉一哭就餵的的結果，讓她學會將媽媽的胸部當作安撫奶嘴。因爲她被頻繁餵食，她只是純粹在「吸吮」，所攝取的只是克蘿母奶中乳糖含量豐富的奶水部分而已，可能會引起脹氣。我指出「她甚至整夜都在進食，那表示她的稚嫩的消化系統都沒有在休息。」

我也解釋說，最要緊的是，寶寶沒有得到充分的、有助恢復健康的休息——不管是白天或夜晚——所以她總是很累。過度疲累的寶寶封鎖世界的方式是什麼？哭泣。當她哭時，就會吞下空氣，不是引起脹氣就是加重已經陷在胃裡的東西。最後回應這一切的，這些善意的父母又給了更多刺激——兜風、搖動、音樂（還是門合唱團的，難怪）。不僅沒有幫助伊莎貝拉學會如何安撫自己，還不小心剝奪她自我撫慰的技巧。

我留給他們這個建議：讓伊莎貝拉實施E.A.S.Y.。讓事情一致化。繼續用襁褓包著。（約六個月大，就可以讓伊莎貝拉雙手都在襁褓外，因爲那時她不太會揮舞雙手去抓臉、捏臉。）在晚上六點、八點、十點密集餵食，讓她攝取足夠的卡路里，可以一覺到天亮。如果她又醒來不要餵她。哭的時候安撫她，也讓她感覺放心。

我建議改變要一步步來，先從白天的睡眠開始，這樣她就不會過度疲累、暴躁不安。有時候，只是處理白天的小憩，就能對夜晚的睡眠有所助益。無論如何，我警告他們在這過渡期也許得經歷幾個星期的哭泣。但是以他們現在的情況而言，不會再更糟了，他們幾個月來已經眼見寶寶的不舒適而感到苦惱，現在至少有了一線希望。

如果我估計錯了呢？如果伊莎貝拉眞的腹絞痛呢？就算是也沒關係。雖然有時小兒科醫生會開一些輕微的制酸劑藥方來緩和脹氣的痛苦，卻沒有什麼藥能眞正治癒腹絞痛。但是我確實知道適當的飲食管理和培養合情合理的睡眠方式可以減輕寶寶的不舒適。

此外，過度餵食以及缺少睡眠也會導致像是腹絞痛一樣的行爲。如果「眞的」是腹絞痛到底要不要緊？你的寶寶一樣不舒服。想想成人會是怎樣的。如果你熬夜會覺得怎樣呢？我敢說，也是暴躁不安。無法忍受乳糖的成人喝了牛奶又會發生什麼事？嬰兒也是人，他們所顯現的腸胃徵兆和我們沒什麼不同。脹氣對成人而言也是惡夢，對寶寶來說更是糟糕，沒辦法抱著自己、按摩胃、或是用言語告訴我們出了什麼事。至少在E.A.S.Y.下，父母可以去推論現在的需求是什麼。

在克蘿和席斯的例子裡，我向他們解釋，給寶寶適當的餵食，而不是整天餵個不停，可以幫助他們分析伊莎貝拉的需要。當她哭時，可以有邏輯的去思考：「喔，她不可能是餓了，半小時前才餵過她，可能是脹氣。」當他們開始理解伊莎貝拉的臉部表情和肢體語言，就可以分辨苦惱的和累了的哭泣差別何在。在有條理的慣例下，我向他們保證，伊莎貝拉的睡覺習慣會有所改進，不會再是一個騷動不安的寶寶。畢竟，不只她會有適當的休息，她的父母也可以在她失去控制的哭泣前了解她的需求。

## 寶寶肚子痛的處理方法

飲食管理是避免脹氣痛苦的最好方法，但是有些時候你的寶寶大概會肚子痛。這裡有一些策略，是我發現最有效的作法。

◎幫寶寶打嗝最好的方式，特別是脹氣時，用你的手掌接近手腕地方，從她左側慢慢往上摩擦（胃部那一邊）。如果五分鐘後，寶寶還沒打嗝，放她下來。如果她開始喘息、扭動、轉動眼睛、做出像是在笑的表情，她有脹氣。抱她起來，確定她的手環著你的肩膀，腳直直垂著，再試著讓她打嗝。

◎當寶寶仰躺著，舉起她的腳，緩和地做踩腳踏車的動作。

◎讓寶寶跨過你的前臂，臉朝下，用你的手掌在她的肚子稍微施加一下壓力。

◎將毛毯摺成約十公分寬的腰帶，緊貼著纏繞寶寶的腰部，不要太緊以免阻斷循環（如果臉色發青，就是太緊了）。

◎要幫助寶寶消除脹氣，抱寶寶靠著自己，拍拍她的肚子，讓她知道焦點要放在哪兒、哪兒該用力。

◎以C形來回按摩她的肚子（不是圓形），就可以描摩出結腸的輪廓——從左到右、往下、然後又從右到左。

## 「寶寶不肯放棄胸部」

我常常從爸爸那聽到這個抱怨，特別是當他們一開始就不贊成哺乳，或是太太過了一年還繼續哺乳時。如果媽媽不了解她是造成寶寶頑固地堅持依賴她的胸部的原因，可能會導致很糟糕的家庭狀況。我的感覺是當媽媽延長哺乳的時間，大多是爲了自己而不是寶寶。女人喜歡這樣的角色、這種親密感、還有只有她能安撫寶寶的祕密知識。除了哺乳的平靜感或是個人的滿足外，她可能喜歡那種被寶寶依賴的念頭。

以雅德蓮娜爲例，還繼續哺乳兩歲半的奈山。在一旁的先生里察問我「崔西，我該怎麼做才好？只要奈山一心煩，她就給他吸奶。她甚至不跟我談，因爲她說國際哺育母乳協會告訴她那是『天性』，用胸部來安撫寶寶是很好的。」

我問雅德蓮娜她的感覺。她解釋：「崔西，我想要安慰奈山，他需要我。」然而，因爲她知道她先生越來越不能忍受，她坦承她開始會對他隱藏。「我告訴他，我馬上會讓奈山斷奶。但是最近在朋友的週末烤肉會上，奈山開始拉扯我的胸部。里察瞪了我一眼，他知道我對他撒謊，他非常的生氣。」

現在，我的工作並不是改變媽媽對哺乳的觀感。就像我稍早說過的，這是很個人的問題。但是我建議雅德蓮娜至少要對先生誠實。我強調我最主要的考量是家庭是一體的。我說「我並不適宜去說你應不應該讓奈山斷奶，但是看看這如何影響到每個人。你得考慮寶寶和先生，但是看來寶寶佔了上風。」我接著又補充說道：「如果，背著里察，你向奈山強化他可以吸奶的想法，你也是在教寶寶騙人。」

再說到意外的養育。我建議雅德蓮娜觀察事情的發展，想想她哺乳的動機何在，看看未來又會是如何。她眞的想冒欺騙里察下場的風險，和替奈山樹立一個壞榜樣嗎？她當然不想。她完全沒將事情好好思考過。我誠實告訴她「我不確定奈山還需不需要哺乳。我想原因在你，你應該要好好仔細想清楚。」

雅德蓮娜也很信守承諾，做了重要的自我探索。她了解她其實是利用奈山作藉口，不願對是否工作做出決定。她告訴每個人她多麼「渴望」回到辦公室，但是心裡所想的又是另一回事，她想休息幾年陪伴奈山，或是再生一個寶寶。最後她終於跟里察坦承，後來告訴我說：「不可置信的，他完全支持我，他說並不缺我那份收入，此外，他以我這媽媽爲傲，但是他希望他也能有參與感。」這次雅德蓮娜告訴里察要讓奈山斷奶，她是認眞的。

一開始她在白天停止哺乳。每當奈山試著去掀開她的T恤，在頭幾天一天會好幾次，她會重複說「沒有了」，然後給他一個小杯。一週後，她開始在晚上也不哺乳。奈山試著說服媽媽「再五分鐘就好」，她一樣告訴他「沒有了」。又花了兩週，才讓奈山放棄糾纏不休，當他這樣做後，事情就是如此啦。一個月後雅德蓮娜告訴我：「我眞是太驚訝了，他就好像沒有哺乳的記憶一樣，眞是不敢相信。」更重要的是，雅德蓮娜贏回了她的家庭：「我覺得我和里察好像在二度蜜月似的。」

雅德蓮娜學到了關於自省和平衡的珍貴的一課。爲人父母兩者都需要。我遇過許多被稱之爲問題的，發生的原因是父母不知道他們投射了多少在寶寶身上。這樣問自己永遠都是很重要的——「這樣做是爲了寶寶還是自己？」我看到父母當寶寶不需要被抱時還抱著他，寶寶不喝母奶了還是在哺乳。在雅德蓮娜的例子裡，她用小孩當作掩飾自己的藉口，在不知情的情況下，她也欺瞞先生。一旦她願意去面對實情，對自己、另一半誠實，也去了解事實上她有能力可以讓事情好轉，她自然就會成爲較好的媽媽、太太、一個更堅強的人。

## 問題解決指南

以下所列出的詳細清單，並不是意指你所會遇到的問題，但是這些是一些我常被要求去詮釋、糾正的長期性問題。如果寶寶的問題不只一個，要記得一次只針對一個問題著手。這樣自問來引導「我想要改變什麼？」以及「站在對方的立場想，我要什麼？」當餵食和睡覺的課題都同時涉入時，兩者常常是相關的，但是你著手任何一個都不會行的通，例如，寶寶在她自己的嬰兒床上會害怕時。當試著去理解首先該做什麼時，用你的常識去判斷，答案通常比你所以為的來的明顯。

| 結果 | 可能的前因 | 你需要做的 |
|---|---|---|
| 「我的寶寶總是喜歡被抱著。」 | 你（或是保母）可能喜歡抱著她。現在她已經習慣這樣，可是你卻已經準備好要進展你的生活。 | 當寶寶需要安撫時，抱起她、撫慰她，但是當她一停止哭泣，馬上放她下來。告訴她「我就在這裡－我哪也沒去。」她得到需要的慰藉後，不要延長抱她的時間。 |
| 「我的寶寶每次餵食幾乎得花上一小時。」 | 她可能把你當成安撫奶嘴。你餵她時是不是在講電話或是你沒有注意她是如何進食的？ | 一開始，寶寶的吸吮通常是很猛、很快的，你可以聽到她大口嚥下奶水的聲音。當她最後在喝豐富的後乳時，她吞嚥花的時間較長、較不容易。但是當她是在安撫自己時，你會看到她的嘴巴在動，卻感覺不到吞嚥。去注意了解，你才知道寶寶怎麼進食的。不要讓餵食超過四十五分鐘。 |
| 「我的寶寶每一小時或一個半小時就餓了。」 | 你可能誤解她的暗示，每次哭你都以為她餓了。 | 不要給她奶瓶或胸部，改變她所見的環境－她可能覺得無聊或是給她安撫奶嘴，讓她滿足吸吮的需要。 |

| | | |
|---|---|---|
| 「我的寶寶需要奶瓶[或是胸部]才能睡覺。」 | 在睡前你可能給她奶瓶或是胸部，制約她讓她有了這樣的期待。 | 讓寶寶實行E.A.S.Y.，這樣她就不會把睡覺跟奶瓶或胸部聯想在一塊，幫助寶寶學習如何自己入睡的建議。 |
| 「我的寶寶已經五個月大，還不會一覺到天亮。」 | 寶寶可能日夜顛倒了。想想懷孕的時候：她是不是在夜裡踢你肚子，在白天卻不動聲色，她就是依照這樣的生理時鐘運行的。或者是在頭幾週你讓她在白天睡太多，現在她習慣了。 | 在白天，每三個小時就喚醒她是很重要的。第一天她會有點想睡，第二天會清醒一點，第三天你就可以調整她的生理時鐘了。 |
| 「如果我們沒搖動他，我的寶寶就沒辦法入睡。」 | 你可能忽略了她的睡覺暗示，她變的過度疲累。因為你可能為了安撫她試著去搖她，她沒學會如何自己入睡。 | 找出她的第一個或第二個哈欠。如果你這樣做了一陣子，她會將搖動與睡覺連結在一起。要逐步淘汰掉搖動，你得替代以其他行為：要不站著不動抱著她，要不坐在椅子上不要搖動她。用你的聲音和輕拍來代替搖動。 |
| 「我的寶寶整天都在哭。」 | 如果真的是一整天，可能是過度餵食、太累、或是過度刺激。 | 寶寶很少哭的這麼厲害，所以最好去諮詢一下你的小兒科醫生。如果是腹絞痛，決不是因為你做了什麼而導致；你得去度過它。但是如果不是腹絞痛，你可能需要調整你的作法。不管情況為何，讓寶寶實行E.A.S.Y.以及培養合情合理的睡眠方式通常會有幫助。 |

| 結果 | 可能的前因 | 你需要做的 |
| --- | --- | --- |
| 「我的寶寶醒來總是暴躁不安。」 | 撇開性格不講，有些寶寶醒來時暴躁不安是因為他們睡不夠。當寶寶只是在調整睡眠，你就叫醒她，她可能會睡不飽。 | 當她發出咕咕聲時，不要急著就衝進她房間。等一會兒，讓她又自己睡著。將白天小憩的時間拉長，信不信由你，這樣會讓她晚上睡的安穩點，因為她就不會那麼累。 |

http://www.booklife.com.tw　inquiries@mail.eurasian.com.tw

HAPPY FAMILY　008

# 超級嬰兒通—天才保母崔西的育兒祕方

作　　者／崔西・霍格、梅琳達・貝樂
譯　　者／郭盈卿
社　　長／李敏勇
資深主編／陳秋月
出 版 者／如何出版社有限公司
地　　址／台北市南京東路四段50號11樓之1
電　　話／（02）2579-6600（代表號）
傳　　真／（02）2579-0338・2577-3220
郵撥帳號／19423086　如何出版社有限公司
責任編輯／曾慧雪
美術編輯／劉鳳剛
校　　對／簡玉書、曾慧雪
圓神出版事業機構法律顧問／蕭雄淋律師
印　　刷／祥峯印刷廠
2001年8月　初版
2013年12月　34刷



定價250元　ISBN 957-607-653-6　

國家圖書館出版品預行編目資料

超級嬰兒通天才保母崔西的育兒祕訣／崔西・霍格，梅琳達・貝樂 著；郭盈卿 譯. -- 初版. -- 臺北市：如何，2001〔民90〕

面； 公分. --（Happy family ；8）

譯自：Secrets of the Baby Whisperer：how to calm, connect, and communicate with your baby

ISBN 957-607-653-6（平裝）

1. 育兒

428　　90010739